# Dominant Sus
# BDSM Extrême

Dominant Susan 3 Vol. 2

Erika Sanders

Dominant Susan 3
BDSM Extrême
(Domination Érotique)
Pour
Erika Sanders
Série
Dominant Susan 3 Vol. 2

Image de couverture : @ Raff Tatee - pixabay, 2024
Première édition : 2024

# Synopsis

Susan est confrontée à bon nombre des éléments les plus extrêmes du style de vie BDSM...

**BDSM Extrême (Domination Érotique)** est un roman à fort contenu BDSM érotique et, à son tour, un nouveau roman appartenant à la collection Erotic Domination, une série de romans à fort contenu BDSM romantique et érotique.

C'est aussi le premier volet de la série, **Dominant Susan 3**, où sont racontées les aventures de Susan, alter ego de l'écrivaine, dans sa facette de soumission.

## Remarque sur l'auteure:

Erika Sanders est une écrivaine de renommée internationale, traduite dans plus de vingt langues, qui signe ses écrits les plus érotiques, loin de sa prose habituelle, de son nom de jeune fille.

# Indice:

# DOMINANT SUSAN 3
# BDSM EXTREME
# (DOMINATION ÉROTIQUE)
# ERIKA SANDERS

"Stop" Susan a crié, et elle a entendu le son métallique du couteau tomber au sol à travers le brouillard paniqué dans son cerveau. Sire commença immédiatement à défaire les liens serrés qui la tenaient à sa merci et prit la jeune fille en sanglots dans ses bras. Il la souleva et alla s'asseoir dans un fauteuil en cuir surdimensionné, la berçant comme une enfant alors qu'elle se calmait.

Ils avaient passé les derniers jours ensemble à repousser ses limites et à énumérer ses limites à la fois dures et douces. Susan avait commencé à accepter qu'aucun autre dominant ne la connaîtrait aussi bien que Robert, qui l'avait connue presque toute sa vie. Elle avait également réalisé que malgré son amour et sa confiance envers les deux hommes qui lui faisaient office de tuteurs lorsqu'elle acceptait un contrat même à court terme comme avec Sire cette semaine, elle avait besoin de connaître et de pouvoir exprimer ses limites. Même si Robert lui avait donné le choix de rester avec lui ou non, il contrôlait pratiquement tout le reste de sa vie, et elle n'avait jamais envisagé de lui désobéir, d'autant plus qu'il avait clairement fait savoir que ce n'était pas vraiment une option.

Sire l'avait poussée très fort et Susan était épuisée mentalement et physiquement après ses trois premiers jours sous la garde de Sire. Elle découvrit dans son épuisement que même si elle se sentait en sécurité dans ses bras alors qu'ils étaient assis, et qu'elle avait perdu la montée d'adrénaline que sa peur avait fait couler dans ses veines, elle ne pouvait s'empêcher de pleurer.

Sire était resté silencieux alors qu'il la tenait dans ses bras, réalisant qu'il avait finalement franchi le mur de la propriété de Robert. Il avait été dur et cruel ces derniers jours dans ses efforts pour lui faire comprendre qu'il n'y aurait jamais d'autre Robert, qui la connaissait si bien et l'aimait tellement qu'il n'avait pas à explorer ses défauts et ses aversions comme d'autres le feraient. devoir. Une fois de plus, il maudit silencieusement Robert pour ne pas avoir vraiment expliqué cette facette du style de vie à la belle jeune femme. En vérité, la plupart des choses qu'il lui avait fait endurer n'étaient pas non plus son goût particulier de perversité, mais elle devait savoir jusqu'où certains hommes allaient dans les chemins les plus sombres de l'excès et de la violation.

Finalement, quand plus aucune larme ne coula, elle leva les yeux vers Sire avec des yeux brillants et dit doucement : "Personne ne me ferait vraiment de dommages irréparables, n'est-ce pas ? Je veux dire," déglutit-elle, "Pourquoi quelqu'un..."

"Pour de nombreux dominants", dit Sire tout aussi gentiment, "le frisson est tout enveloppé dans cet échange de pouvoir ; plus vous donnez, plus ils en veulent. Si vous n'êtes pas assez courageux pour fixer des limites et utiliser un mot de sécurité, vous pourriez vous retrouver avec des dommages permanents non seulement à votre corps, mais aussi à votre esprit. » Il leva son visage vers le sien tout en expliquant une fois de plus pourquoi il la poussait si fort à connaître ses propres limites d'endurance. "Il n'y aura jamais un autre Robert, qui a eu le temps et la volonté de vous connaître aussi bien avant que vous ne deveniez le sien. Les autres dominants que vous rencontrerez au cours de ce voyage que vous avez insisté pour faire ne sauront rien de vous sauf ce qu'on leur dit dans de brèves discussions et leur connaissance de ce qu'était Robert. Il sourit en voyant sa lèvre se coincer entre ses dents alors qu'elle réfléchissait à ce qu'il disait. "Tout le monde dans le club et même les cercles extérieurs de notre style de vie savaient qu'il était un salaud sadique et contrôlant et supposerait qu'il faudrait être quelque chose de spécial pour capturer son collier, pas seulement une esclave masochiste ordinaire..."

"Je n'étais pas une très bonne esclave pour lui," Susan leva les yeux vers l'homme imposant qui la tenait si soigneusement dans ses bras, les larmes aux yeux. "J'ai fait tellement d'erreurs et je me suis enfuie et..." sa voix se bloqua dans sa gorge tandis que la culpabilité montait à nouveau en elle. Si elle n'avait pas été aussi enfantine, Robert ne l'aurait jamais emmenée en Italie. "Je n'étais tout simplement pas très douée pour être ce qu'il voulait", termina-t-elle tristement alors que Sire restait silencieux. "J'avais juste besoin de plus de temps, j'aurais pu être meilleure, je voulais être meilleure, il m'aurait appris toutes les choses que j'avais besoin de savoir, maintenant c'est juste..." elle haussa les épaules, et les larmes revinrent.

Sire continuait de la tenir tranquillement dans ses bras, sa culpabilité et la colère qui l'avaient précédée lorsqu'il l'avait rencontré pour la première fois étaient dans les dernières étapes du deuil avant qu'elle ne trouve l'acceptation et l'espoir pour l'avenir, même s'il pouvait voir cet espoir transparaître de temps en temps. elle a parlé de ses projets après sa semaine en sa compagnie. Il avait été surpris de constater que même s'il avait connu Robert presque toute sa vie ; ils n'étaient ensemble en couple que depuis environ un mois. Cela l'étonnait qu'elle ressente autant d'amour et de dévouement envers Robert et il s'était étonné de son empressement à reprendre le chemin du style de vie sans lui. Cependant, après avoir approfondi les motivations de la jeune femme au cours des trois derniers jours, il comprenait maintenant le désir de la jeune fille, toujours en deuil, de ressentir à nouveau et d'essayer de bloquer le vide sombre et vide que son absence avait créé dans sa vie.

"Je peux toujours faire les choses qu'il voulait," dit-elle doucement une fois de plus, "Je peux en apprendre plus et faire plus comme il l'avait prévu," elle prit une profonde inspiration et se redressa, "Je peux toujours être la fille qu'il voulait de moi. être, avec ton aide et celle des autres," sourit-elle en coin, "J'ai encore la chance de le rendre fier de moi."

"Robert est parti Susan, tu dois faire ça parce que tu le veux, pas parce que Robert le voulait," Sire n'avait pas aimé la façon dont elle avait dit cela comme s'il pouvait d'une manière ou d'une autre revenir et la réclamer si elle le rendait fier.

"Je sais, et je veux vraiment le faire pour moi. Je le veux tellement, mais j'aimerais penser qu'il veille toujours sur moi d'une manière ou d'une autre et qu'il serait heureux que je fasse toujours ce qu'il voulait que je fasse. C'est Maître Andrew maintenant", a-t-elle ajouté, "Cela montrera cette fierté en moi, je le réalise, mais il était aussi proche de Robert que moi, sinon plus proche et cela semble en quelque sorte bien", dit-elle avec un ton étrange dans sa voix. voix.

Sire hocha la tête, toujours incertain de son état d'esprit et décidant qu'une longue conversation avec Andrew était nécessaire pour assurer la sécurité de la jeune fille. Il a admis que pour la première fois depuis très longtemps, il considérait que prendre une fille comme Susan comme sienne ne serait en fait pas une difficulté du tout ; cela pourrait être vraiment très agréable.

"Va te doucher et prépare-toi, nous sortons", lui frappa légèrement le cul et sourit. Il fallait continuer à repousser et à trouver ses limites, mais il pouvait voir les petits changements en elle et était satisfait de ses progrès, malgré ses doutes quant à ses derniers mots. Sire la regarda entrer dans la salle de bain et se dirigea vers l'endroit où ses vêtements étaient accrochés sur un support dans son studio photographique. Il n'y avait pas eu besoin de vêtements ces derniers jours et alors qu'il sélectionnait plusieurs pièces à porter, il jeta un coup d'œil à certaines des photos qu'il avait prises et imprimées de Susan ces derniers jours. C'était une adorable petite salope masochiste, et il a saisi l'opportunité de la sortir et de la montrer comme sienne, ne serait-ce que pour un petit moment.

Le reste de la semaine, décida-t-il, serait chargé alors qu'il réfléchissait à la manière d'incorporer ce qu'il voulait qu'elle apprenne avec quelques sorties sociales. Mais d'abord, cet après-midi, comme promis, ils assisteraient à un goûter avec Sarah et James.

*****

Susan s'était assise tranquillement sur le lit, écrivant dans le journal que Sire lui avait demandé de tenir pendant qu'il prenait sa douche et enfilait un jean noir confortable et une chemise boutonnée. Elle le regarda avec curiosité pensant qu'elle ne l'avait jamais vu sans ses vêtements en cuir et ses T-shirts noirs. On lui avait donné une robe légère de poupée et une fois de plus, elle se demandait quel était le changement de rythme et où ils allaient.

L'habillant une fois de plus avec les bottes et la veste surdimensionnée qu'elle portait lorsqu'ils étaient à vélo, ils sont partis et ont parcouru la courte distance jusqu'à la maison de James. Susan sourit lorsqu'elle vit où ils se trouvaient et fut heureuse que Sire n'ait pas oublié la promesse qu'elle avait faite de venir prendre le thé avec Sara et James.

Sarah a couru hors de la maison et s'est jetée sur Susan avant même que ses pieds n'aient touché le sol alors que Sire la soulevait de son vélo. « J'ai attendu et attendu toute la journée ! Où étais-tu, oncle Billy ? Sara lâcha finalement Susan et lança un regard renfrogné à Sire.

Sire haussa un sourcil vers Sara et vérifia sa montre d'un air dramatique. Châtiée, Sara a mis ses mains derrière son dos et a dit d'une voix plus calme: "C'est juste que je suis tellement excitée parce que, eh bien, je l'aime," Sara a essayé d'expliquer pourquoi elle avait été méchante.

"Ça, je comprends, Susan est facile à aimer," Sire se pencha, embrassa le front de Sara et sourit, "Conduis mon petit, j'espère que tu as ces cookies que j'aime!" Sara rigola malicieusement et, saisissant la main de Susan, elle l'entraîna en courant dans la maison.

"D'abord tu dois embrasser papa et lui dire bonjour, ensuite j'ai une surprise pour toi!" Sara jaillit avec enthousiasme. Susan regarda par-dessus son épaule et sourit après avoir été prise dans l'excitation enfantine de Sara et la suivit jusqu'au bureau où James attendait, détendu et discutant avec Gregory. Susan n'était pas vraiment surprise ; Gregory semblait être une figure constante dans sa vie depuis la mort de Robert, il semblait veiller constamment sur elle comme il le faisait pour les filles du club, Susan supposait que c'était juste une extension de ses fonctions qu'il effectuait pour Andrew et les parties prenantes.

"Mais papa !" Sara gémit en voyant James tapoter ses genoux pour que Susan vienne s'asseoir avec lui.

"Sara, nous en avons parlé," dit James d'un ton lent et mesuré.

"Oui papa, mais j'ai attendu et attendu", gémit-elle avant de se tourner pour quitter la pièce en faisant la moue.

"Faites attention, vous allez trébucher sur cette lèvre inférieure si elle descend encore plus bas", rit Sire en soulevant Sara et en la câlinant. "Viens me chercher un cookie pendant que Susan te dit bonjour correctement," il s'éloigna du bureau avec elle.

Susan se laissa tirer sur les genoux de James et se blottit avant de se retourner pour saluer Gregory.

"Bonjour Sir Gregory, c'est une belle surprise", sourit-elle et il lui rendit son sourire avec une inclinaison à peine perceptible des lèvres alors qu'il inclinait la tête vers elle.

"Bonjour, petit. Il y a eu quelques choses décidées lors de cette réunion des parties prenantes après ton départ, l'une d'entre elles étant que je viendrais te voir de temps en temps et m'assurerais que tu étais heureux et en bonne santé avec ton travail et exploration", a-t-il expliqué.

"Je suis heureuse", sourit Susan aux deux hommes. "Merci de m'avoir soutenu pendant cette réunion, cela signifiait tellement."

"Vous avez demandé de l'aide, ce serait peu distingué d'ignorer la demande d'une demoiselle en détresse, n'est-ce pas Gregory ?" James rit.

"En effet", acquiesça-t-il volontiers, "Mais en fin de compte, c'est votre vie et votre décision, Andrew et Alan sont vos tuteurs et ils sont là pour vous conseiller ou intervenir si vous vous mettez en danger, mais vous avez le dernier mot dans votre vie, et je ne suis pas sûr que vous le compreniez pleinement. » Le front de Gregory se plissa d'inquiétude.

"Oh, bon dos," salua James Sire, qui était entré en grignotant un cookie et s'était assis. "Cela te concerne aussi."

"Écoutez, je ne suis pas intéressé par toute cette politique de club et vous le savez, c'est pourquoi j'évite cet endroit prétentieux la plupart du temps", a déclaré Sire avec un ton qui indiquait qu'il s'ennuyait déjà de la conversation.

"Très bien, mais tous les autres Dominants qui répondront à l'invitation à travailler avec Susan bénéficieront d'un délai de deux semaines, comme nous le pensions..." James sourit narquoisement.

"Très bien, j'écoute maintenant," coupa Sire, "j'avais peur de la renvoyer si tôt."

"Il y a plus", James leva la main pour que Sire écoute plutôt que parle.

James a décrit ce qui s'était passé après la réunion et le rôle actuel de Gregory dans la vie de Susan. S'ils étaient tous les deux d'accord, l'arrangement pourrait s'étendre d'une semaine supplémentaire et Susan exigerait que son téléphone soit sur ou près d'elle à tout moment afin que Gregory puisse s'enregistrer au hasard ainsi que lui rendre visite au moins une fois au cours de la semaine suivante.

"Tu connais mon travail?" Sire s'adressa à Gregory qui hocha la tête. En fait, il y avait très peu de choses sur William Wilder que Gregory ne savait pas maintenant, il avait fait ses devoirs sur qui possédait actuellement Susan.

"J'aimerais faire un court voyage en voiture maintenant que nous avons le temps, vers certains des meilleurs endroits et prendre des photos de Susan. Vous pouvez appeler et savoir où nous sommes à tout moment et décider quand nous rendre visite à partir de là. d'accord?" Il l'a formulé de telle manière que ce n'était pas vraiment une question du tout.

"Nous pouvons négocier cela, je crois", a également déclaré Grégory avec le ton d'un homme qui ne se plierait pas aux caprices d'un autre. "Le problème le plus important ici n'est cependant pas ce que vous voulez. Susan n'a pas encore accepté la prolongation et j'ai besoin de l'entendre de sa part." Les deux hommes se tournèrent vers Susan, qui était assise, se mordant la lèvre, réfléchissant à ce qui se disait.

Gregory était un homme sévère et intransigeant qui attendait beaucoup de son entourage. Il lui faisait à la fois peur et lui permettait de se sentir en sécurité en sa présence. Elle ressentait la même chose pour Sire, mais elle avait aussi vu son côté tendre au cours des trois derniers jours alors qu'il prenait soin d'elle après des scènes particulièrement éprouvantes. Elle leva les yeux vers James qui semblait toujours si chaleureux, doux et aimant, mais se souvint de ce qu'Andrew avait dit à propos de sa cruauté envers les gens qui le contrariaient. Ils prenaient chacun soin d'elle de différentes manières, et elle savait qu'ils pouvaient et la protégeraient en cas de besoin, mais ils n'étaient pas Robert et ne prendraient pas ces décisions à sa place. Elle réalisa alors que c'était ce qu'elle avait demandé, le droit de choisir et de prendre ses propres décisions et qu'ils faisaient simplement ce qu'elle voulait.

"Tant que Gregory est capable de me joindre si j'ai besoin d'utiliser un mot sûr", sourit-elle à Sire, "je pense qu'un road trip pourrait être amusant."

"Bien," dit James, "Maintenant, Sara a dansé devant cette porte tout le temps, alors va et laisse-la te montrer la surprise, et nous réglerons la logistique entre Billy et Gregory." Il l'aida à se relever et lui tapota les fesses, la faisant repartir.

"Il était temps", dit Sara dramatiquement et elle attrapa la main de Susan alors qu'elle quittait la pièce.

Elle l'entraîna derrière elle et finalement l'entraîna dans une petite salle à manger à côté de la cuisine. Susan était pour le moins surprise, alors qu'elle restait figée à regarder les femmes qu'elle considérait comme des amies. Elle ferma la mâchoire et commença les salutations en les embrassant chacun. Cinthia lui frotta la joue et l'entraîna plus loin dans la pièce où elle fut serrée dans ses bras par Samantha et Shaky avant que Gian ne s'avance et ne se présente correctement. Anne était restée en retrait et voyant cela, Susan s'est approchée d'elle et l'a serrée fort dans ses bras.

"Je suis vraiment désolée, Anne, j'ai été tellement horrible que je ne sais pas quoi dire d'autre," dit doucement Susan, "Tu me manques terriblement."

"C'est moi qui devrais être désolé, idiot, je n'avais pas réalisé..." elle laissa tomber ce qu'elle allait dire. Chacune des filles présentes avait solennellement promis de ne pas mentionner Robert à moins que Susan ne le fasse après que Cinthia lui ait expliqué que Susan avait senti que tout le monde avait besoin de se guérir à travers elle en lui demandant de revivre ce moment encore et encore. Au lieu de cela, elle sourit et la relâcha en tournant Susan vers la table. Ce n'est qu'au moment où elle était sur le point de s'asseoir qu'elle aperçut Cassandra assise à l'autre bout de la table et ravie de la voir, elle courut partout et la serra fort dans ses bras.

"C'est si bon de te voir !" S'exclama Susan. "Vous tous, corrigea-t-elle en regardant autour de la table. Je ne peux pas croire que vous soyez tous là alors que j'ai été une telle garce ces derniers temps."

"Nous n'étions pas exactement les amis les plus compréhensifs", dit doucement Anne.

"Viens d'abord t'asseoir à côté de moi", dit Shaky avec enthousiasme, "J'ai toujours les meilleurs potins."

"Parlez-moi de cette fille qui s'est enfuie avec le prince du Moyen-Orient, l'ont-ils déjà retrouvée ? J'ai entendu dire qu'elle était devenue une moll de motards", a demandé Susan en hochant sérieusement la tête et les autres femmes ont éclaté de rire.

Sara était l'hôtesse parfaite. elle avait préparé les friandises et les boissons préférées de chaque fille et, même si ce n'était pas nécessaire, au sein de ce groupe, elle avait inséré de nouveaux sujets de conversation chaque fois qu'elle était légèrement en retard. Chaque fille était enthousiasmée à l'idée de voir davantage Susan et Cassandra a suggéré une réunion mensuelle chez chaque fille et a proposé d'héberger la suivante.

Après des mois d'isolement volontaire, c'était si bon de faire partie d'un groupe d'amis qui savait se détendre et rire de la vie. Elle se sentait mieux qu'elle ne l'avait été depuis longtemps, et elle savait qu'elle devait remercier Cinthia, alors alors que la fête commençait à se dissoudre, elle alla vers Cinthia et l'embrassa.

"Je sais que c'était toi, merci beaucoup, je ne savais pas comment faire face à tout le monde après avoir été si égocentrique pendant si longtemps," dit doucement Susan.

"Je n'étais pas moi, ma chérie," dit Cinthia de sa voix riche et grave, "Andrew et Alan l'ont organisé. Apparemment, tu avais promis à Sara que ses oncles lui enverraient une surprise, et nous l'avons fait." Elle a ri, "Même si je pense que c'était la suggestion d'Anne au départ."

"Vraiment!" Susan fut stupéfaite et se tourna pour trouver Anne. "Merci", s'est-elle exclamée, "C'était exactement ce dont j'avais besoin."

Anne sourit en retour à Susan, "C'est le moins que je puisse faire après la dernière fois que je t'ai vue." La culpabilité assombrit son visage pendant un moment avant qu'elle ne sourit à nouveau, "Je suis juste heureuse que nous te retrouvions."

Le petit groupe a commencé à se dissoudre et Susan a commencé à aider Sara à nettoyer, mais Sara l'a chassée. "Va parler à papa, ou il sera grincheux que je t'aie pour moi tout seul."

"Mais tu ne l'as pas vraiment fait," commença à protester Susan en prenant une autre assiette. Sara prit l'assiette de ses mains et la regarda sérieusement.

"Je n'agis pas souvent comme une adulte mais pour cette fois, je ferai une exception parce que je pense que tu as besoin d'entendre ça," déglutit-elle et prit une profonde inspiration. "Nous aimions tous beaucoup Robert avant votre arrivée. Il a grandement aidé chacun de nous et nos Maîtres, la plupart d'entre nous à plusieurs reprises, de différentes manières et parfois à partir de situations désastreuses, comme Anne. On pouvait toujours compter sur lui pour s'occuper de nous. ceux qui lui tenaient à cœur. C'est ce lien qu'il avait avec nous qui vous a attiré si rapidement dans notre cercle. Susan avait commencé à se mâcher la lèvre, son visage s'assombrissant.

"C'est pourquoi nous nous soucions tous autant de ce que vous faites et pourquoi nous voulons constamment voir si vous vous en sortez." Elle vit le visage de Susan s'effondrer encore davantage mais ne céda pas. "Ce que j'essaie de dire, pas très bien, c'est que tu es l'une des nôtres maintenant, que cela te plaise ou non, et que chacune de nous, les filles, et nos Maîtres, ressentons une certaine responsabilité envers toi, parce que si c'était nous, et cela a été dans le passé, il le ferait sans hésiter et vous devez nous laisser, pour lui et pour aider tout le monde à guérir comme vous essayez de le faire. C'était vraiment un homme compatissant sous cet extérieur de bâtard sadique; vous le savez, tout comme aussi bien que moi." Susan hocha la tête, les yeux brillants.

"Alors maintenant que vous avez décidé de ce dont vous avez besoin pour enfin vous aider à guérir, vous devez nous laisser entrer et nous laisser guérir à notre manière en vous gardant proche et en vous souvenant de l'homme qui vous a aimé au-dessus. tous les autres." Sara termina finalement sa conférence et serra Susan dans ses bras.

"Maintenant, c'est à notre tour de vérifier que tu guéris, va rassurer papa et Grégory, ils s'inquiètent trop," sourit-elle, "N'importe quel singe avec un demi-cerveau peut voir que tu recommences à vivre ; il suffit de le faire. obtenez-vous le vôtre, heureux pour toujours. Elle relâcha Susan. "Avec le temps, pas tout de suite, tu auras encore beaucoup de grenouilles à embrasser pour trouver le prince charmant. Même si oncle Billy est un très bon début," rigola-t-elle.

*****

Le lendemain matin, alors qu'il recevait une succion de bite bien exécutée, Sire considéra la fille qui était, à toutes fins utiles, la sienne pour la semaine prochaine. Ses limites dépassaient de loin ce qu'il attendait d'une fille de sa stature. La première nuit et le lendemain, il l'avait soumise à une myriade de contraintes, d'ustensiles, de jouets et d'outils, dont le fouet semblait être le seul avec lequel elle avait pu s'exprimer de manière presque sûre.

Le deuxième jour, il l'avait poussée à pratiquer des sports nautiques et l'avait presque forcée à faire des excréments, mais elle s'était sauvée, elle et lui, grâce à des paroles sûres, à son grand soulagement. Il lui a cependant présenté le lavement à l'eau savonneuse et l'idée du bukkake, mais pas la réalité et tout au long de cela, il avait procédé à son infantilisation à différents stades et âges, lui faisant deux fois plus de sécurité. Plus il la rajeunissait, plus il trouvait de limites et à la fin du deuxième jour, il était heureux qu'elle utilise son mot de sécurité si nécessaire.

Le troisième jour avait été consacré à des pratiques qui, si elles n'étaient pas traitées avec le respect approprié, pourraient endommager son esprit et son corps de façon permanente. Wax Play semblait être dans ses limites même s'il frôlait le soft, alors il l'avait amplifié d'un cran. La matinée avait été principalement occupée par des aiguilles et des crochets de perçage, des pistolets et des armes à tatouer, mais elle avait formulé chacun d'eux en toute sécurité, pour son plus grand plaisir.

Il sourit en la regardant, l'exhibitionnisme et l'humiliation à plus grande échelle, peut-être avec plusieurs partenaires, seraient un test intéressant de ses limites ainsi que des attentes culturelles et sociales de ses dominants. Il sourit sachant où ils allaient se rendre lors de leur road trip et planifia dans son esprit le voyage et le nombre de jours qu'il prendrait. Il le ferait savoir à Gregory avant leur départ. Malgré les premières personnalités alpha, il aimait bien l'homme austère et pouvait voir qu'il n'avait à cœur que le meilleur intérêt de la jeune fille et de ses amis. À bien des égards, Gregory lui rappelait Robert, mais sans la réputation imposante qui allait de pair avec le personnage.

Il gémit alors qu'elle le prenait profondément, avalant autour de la tête de sa queue et se délectant de la facilité avec laquelle elle avait adopté son style de succion préféré. La porte à l'autre bout du loft s'ouvrit et se ferma, rendant Susan figée dans ses mouvements.

"Continuez à sucer", grogna Sire en posant lourdement sa main sur sa tête avant de crier, "Il était temps que tu viennes ici, fais comme chez toi, je suis en train de donner le petit-déjeuner au nouveau bébé." Sire rit et Susan entendit une deuxième voix crier.

"Putain, vieil homme, est-ce que tu t'arrêtes un jour," dit la voix masculine et Susan entendit la lourde chute des bottes et le bruit de son corps s'enfonçant dans le cuir d'une chaise à proximité.

"Pas quand c'est aussi bon", continua Sire à rire avant de gémir à nouveau alors qu'elle l'emmenait vers les couilles en le suçant fort et profondément. "Oh ouais," il appuya fort sur sa tête, la tenant pendant de longues secondes avant de la relever et de jouir bruyamment, jetant des rubans de sperme sur sa langue qu'elle avala docilement. Lui laissant quelques instants pour le vider et le nettoyer alors qu'il reprenait le contrôle, il la tira finalement vers le canapé avec lui et la tourna pour rencontrer la voix.

"Susan, voici Pete, mon fils", la présenta Sire.

"C'est un plaisir de vous rencontrer," dit Susan masquant sa surprise. Elle savait que Sire était beaucoup plus âgé qu'elle, mais elle ne s'attendait pas à ce qu'il ait un fils qui paraisse d'âge moyen. Pete, comme son père, était grand et costaud, avec des cheveux grisonnants et des yeux perçants et intelligents. Lui aussi portait des cuirs de motard et Susan sourit en la saluant à son tour.

"Ravi de te rencontrer aussi, petit," il se tourna vers son père, "Je ne sais pas comment tu fais toujours pour avoir les jolies salopes !"

« Juste de la chance, je suppose. L'as-tu apporté ? Sire semblait de bonne humeur en bousculant Susan sur ses genoux.

" Sinon, pourquoi serais-je ici ? " Il montra la boîte à côté de lui. "C'est pour toi, petite, jette un oeil pendant que je négocie ma prime avec le vieil homme," lui sourit-il. Avec une poussée encourageante, Sire l'aida de ses genoux et elle se dirigea vers la loge.

"Wow ! C'est incroyable", s'est-elle exclamée en sortant la veste en cuir de la boîte et en la levant. Une image brodée de Fée Belle était assise sur le dos de la veste, provoquant son enthousiasme. Ce n'était pas tout à fait Fée Belle, cependant, la fée avait des cheveux noirs ondulés un peu comme ceux de Susan au lieu d'être blonds. Le nom Tink s'incurvait légèrement en haut de l'image, et le nom Susan pendait dans une courbe tout aussi légère en bas. C'était extrêmement détaillé et elle le regardait avec admiration.

"Je ne peux pas vous envoyer en road trip sans votre propre veste, n'est-ce pas maintenant," Pete sourit et se tourna vers Sire, "Maintenant, à propos de mon bonus."

"Que veux-tu," demanda Sire d'un ton dubitatif.

"Un travail de tête comme celui auquel je viens d'assister semble être une bonne chose", sourit-il.

"Bien sûr, pourquoi pas," il haussa les épaules en regardant Susan, dont il s'attendait à moitié à utiliser son mot de sécurité. Au lieu de cela, il fut agréablement surpris lorsqu'elle tendit calmement la veste à Sire pour l'inspecter et se laissa tomber à genoux devant Pete.

Pete se leva avec impatience et baissa son jean pour l'enlever. Susan sentit sa bouche se relever dans un demi-sourire alors qu'elle remarquait que le fils était aussi bien doté que son père, sinon plus, et elle entrouvrit légèrement les lèvres, se penchant en avant pour embrasser le bout en s'attendant à ce qu'il s'assoie. encore. Au lieu de cela, il resta debout et rassembla ses cheveux dans une main, les tenant loin de son visage et inclinant légèrement sa tête en arrière.

« Garde tes yeux sur les miens tout le temps, tu comprends ? dit-il brusquement.

Elle hocha légèrement la tête dans la prise ferme qu'il avait sur ses cheveux et murmura doucement : « Oui, Monsieur.

"Bonne fille", il plaça le bout de sa queue entre ses lèvres et commença à entrer et sortir lentement en remplissant sa bouche alors qu'elle le regardait. Susan réalisa que c'était un homme qui aimait le contrôle total et s'abandonna volontiers à ses désirs alors qu'elle fermait ses lèvres en un anneau serré autour de sa queue. Il plia ses hanches, poussant plus loin et la faisant légèrement vomir, elle remarqua un léger sourire touchant ses yeux alors qu'elle le regardait. "Ouvre", ordonna-t-il et elle laissa sa mâchoire tomber, ouvrant grand la bouche pour lui alors qu'il s'enfonçait profondément dans sa gorge, la faisant à nouveau s'étouffer.

"Tu as une petite salope obéissante cette fois", dit-il à Sire.

"Je suis un homme chanceux", sourit Sire en regardant Susan prendre la bite de quelqu'un d'autre et en sentant sa propre excitation recommencer à croître.

Susan commença à baver alors qu'elle se détendait et avalait la grosse bite qui lui secouait la gorge. Ses yeux commencèrent à s'embuer et à pleurer, mais elle ne s'efforça pas de résister à la position dans laquelle il la tenait pendant qu'il lui baisait le visage ; au lieu de cela, elle fixa ses yeux sur les siens alors qu'elle cligna des yeux avec une larme sur sa joue. Cela sembla l'exciter encore plus, et il tira sa tête plus en arrière par les cheveux et, s'avançant, abaissa légèrement son sac à couilles dans sa bouche grande ouverte.

Battant sa langue et suçant au mieux la peau caillouteuse, elle le pouvait, dans sa position, elle prit de profondes respirations par le nez, sachant que ce n'était qu'un petit répit. Elle pouvait sentir sa propre excitation monter et l'humidité de sa chatte commencer à couler jusqu'à ses cuisses. Le sac à balles a finalement été retiré et la bite a été ramenée dans sa bouche avec plus de force. Pete lui a tenu la tête presque par les oreilles et a commencé à baiser sérieusement, sans se soucier, semble-t-il, de son manque de souffle, mais en s'assurant de temps en temps de ne pas le faire. pénétrer dans sa gorge alors qu'elle aspirait de l'air par le nez.

Pete était perdu dans les yeux larmoyants de Susan alors qu'il la baisait, impressionné par la salope à ses pieds et sa volonté d'être utilisée de cette manière. Il s'abandonna au pouvoir qu'elle lui donnait et ressentit le plaisir qu'elle procurait à sa bite en gémissant profondément avant de la retirer et de lui faire gicler du sperme sur ses lèvres et sa langue, puis de retourner dans sa bouche chaude et humide. Finalement rassasié, il s'effondra sur la chaise.

Susan était si excitée et avait besoin de sa propre libération lorsqu'elle fut lâchée des mains de Pete ; elle le regarda avec des larmes et dit doucement : « Merci, Monsieur. En attendant qu'il la salue d'un bref signe de tête, elle se tourna et rampa jusqu'à Sire, s'agenouillant devant lui. Il la regarda silencieusement, espérant qu'elle demanderait ce dont elle avait besoin. "S'il vous plaît, Sire," murmura-t-elle, "Baise-moi, Sire, j'ai besoin de jouir, s'il te plaît."

"Je n'ai pas besoin de te baiser pour te faire jouir", grogna-t-il et se pencha en avant, pinçant un téton dans chaque main et les tordant jusqu'à ce qu'elle gémisse bruyamment. "Mais vu que tu as demandé si gentiment," il ouvrit le coffre à côté de lui et voulant montrer à Pete ce qu'elle pouvait endurer, il retira le jeu de pinces en regardant Susan le remarquer et écarta immédiatement ses jambes et laça ses doigts derrière elle. tête dans une pose d'affichage.

Il leva les yeux et Pete hocha la tête avec appréciation. Susan était haletante et gémissait bruyamment, finalement satisfaite du positionnement des pinces, il la souleva et la plaça à quatre pattes sur la table basse. Debout derrière elle, il la pénétra brutalement en faisant balancer les pinces et Susan cria à la fois de douleur et de plaisir. Il s'est lentement retiré d'elle puis a réapparu en grognant : "Est-ce que c'est ce dont tu as besoin, petite salope", il l'a enfoncée avec force.

"Oui. Oh oui s'il te plaît, baise-moi Sire," cria-t-elle sachant que cela le pousserait à l'utiliser plus fort. Sire aimait qu'elle mendie ; son besoin, et Susan savait que mendier ce qu'elle voulait avec des propos grossiers lui donnerait ce dont elle avait besoin et bien plus encore. "J'ai besoin d'être baisée par une grosse bite comme la tienne ; je suis une salope tellement affamée de bite." Elle grimaça à la douleur des pinces ainsi qu'aux mots qui sortaient de sa bouche.

"Putain de pute affamée de bite, suce à nouveau la bite de Pete, fais-le bander pour qu'il puisse te baiser aussi, putain de salope," la voix de Sire était remplie de grognement de mépris alors qu'il la frappait. Les mots pénétrèrent à peine son esprit avant que Pete ne se tienne devant elle avec une bite à moitié dure. Il lui attrapa les cheveux et guida sa bouche vers sa queue tandis que Sire continuait à la frapper. Ses gémissements se sont transformés en gargouillis alors que sa queue grandissait rapidement dans sa bouche, sa tête et son corps bougeant sous les martèlements de Sire alors que Pete restait immobile en regardant le visage de la fille.

"Prépare-toi, salope", grogna Sire en se penchant sur son corps et en tirant sur la chaîne, la faisant crier autour de la bite dans sa bouche. Alors que la pince se détachait de son clitoris, elle cria et Pete s'enfonça dans sa gorge en savourant les vibrations que sa douleur lui donnait. Les yeux de Susan roulèrent dans sa tête et elle sursauta spasmodiquement alors qu'elle jouissait fort entre les deux hommes. Les hommes ont continué à la baiser fort alors qu'elle continuait à jouir, lui donnant un peu de répit tandis que Sire retirait les pinces de ses tétons, la faisant crier à nouveau autour de la bite dans sa gorge.

Susan flottait sur un nuage de douleur et de plaisir, perdant la trace d'elle-même et du temps jusqu'à ce qu'elle se retrouve enfin recroquevillée sur le salon, toujours haletante tandis que Sire lui caressait les cheveux et lui offrait de l'eau. Il l'embrassa sur le front. "Reste ici jusqu'à ce que tu sois prêt à prendre une douche, tu as très bien fait, petite." Susan ferma les yeux et s'étira, sentant ses muscles se relâcher, et elle se tourna pour regarder Sire alors qu'il parlait doucement à Pete.

*****

Ils ont voyagé vers le sud à travers l'arrière-pays montagneux et, alors qu'ils quittaient l'autoroute pour emprunter un itinéraire que Susan savait très bien, elle s'est raidie à l'arrière du vélo, ses muscles se sont tendus alors qu'elle resserrait sa prise sur Sire. Elle entendit sa voix à travers le casque placé dans son casque.

"Qu'est-ce qui ne va pas?" » La voix de Sire était inquiète.

"C'est la route vers la maison de mes parents et celle de Robert", répondit-elle lentement et délibérément.

"Je ne pense pas que tu doives t'inquiéter, l'endroit où nous allons est en dehors des routes principales," rigola-t-il et la sentit se détendre légèrement. Susan ne dit rien, pensant à la dernière fois qu'elle avait vu ses parents avec Gregory et à tout ce qui s'était passé depuis.

« Cela ne faisait qu'une semaine ? Elle se demandait. Cela semblait bien plus long depuis qu'elle avait pris la décision de retourner dans le monde de Robert et avait créé un tourbillon dans sa vie qui la retrouvait maintenant assise à l'arrière d'une moto naviguant sur les routes de montagne qui, elle le savait, pourrait la ramener chez elle si elle le souhaitait. . Il y avait un petit réconfort dans cela, malgré ses craintes initiales, si elle avait besoin de s'échapper, de s'enfuir... Susan se mordit la lèvre, elle savait qu'elle ne s'enfuirait pas et en fait avait l'impression qu'elle ne pouvait pas, c'était exactement ce qu'elle avait. demandé. Robert l'avait prise et mise dans des situations et dans les endroits où il voulait qu'elle soit, c'était complètement différent et elle devait s'arrêter et se rappeler que c'était tout son choix, elle pouvait dire non ; elle pouvait utiliser son mot de sécurité ; elle pouvait se retirer à tout moment, sans avoir besoin de s'échapper ou de s'enfuir.

Robert l'avait aimée et la suivrait toujours, elle savait, mais pas consciemment à l'époque, qu'il ne la laisserait pas partir. Cet homme, en revanche, n'avait aucun sentiment de ce genre à son égard. Il tenait à elle, elle le savait, mais cela n'avait rien à voir avec le lien global que Robert avait imposé sur elle. Elle se demandait s'il était vrai qu'il n'y avait jamais qu'une âme sœur pour une autre et que la sienne était désormais perdue pour ce monde. Elle sentit la tristesse de cette pensée l'envahir et appuya sa tête contre le dos de Sire alors qu'ils chevauchaient, perdus dans ses propres pensées.

Fidèles à sa parole, ils étaient restés à l'écart des routes principales, visitant de magnifiques merveilles naturelles et passant la nuit dans de petites chambres d'hôtes. Il a traité chaque endroit comme une opportunité pour une séance photo, l'habillant ou la déshabillant le plus souvent avant de la lier dans diverses poses avec une corde rugueuse et des bandes de tissu usé en lambeaux. Au début, elle était gênée et inquiète à l'idée qu'ils puissent être découverts, mais au fur et à mesure qu'il utilisait son corps de manière exquise pour le plaisir ainsi que pour le mannequinat, elle s'est détendue et a apprécié le processus créatif avec lui.

À deux reprises, pendant qu'ils étaient sur la route, un joggeur ou un promeneur dans la brousse les a repérés et observés de loin. À ces occasions, Sire n'était pas aussi sadique qu'il aurait pu le faire autrement, permettant au voyeur de l'entendre implorer davantage alors qu'il l'utilisait durement.

Après un long voyage de plusieurs jours, ils se sont arrêtés devant un bar à l'air miteux, de la musique forte chantait depuis les fenêtres ouvertes, accompagnée de voix fortes et de rires. La curiosité de Susan fut éveillée lorsque Sire descendit du vélo, lui permettant de regarder correctement le bar. Il s'agissait d'une maison indépendante en planches de bois qui semblait avoir été transformée il y a quelque temps en une sorte de club plutôt qu'en bar. Sire l'a récupérée du vélo et l'a mise debout avant de l'aider à enlever le casque et la veste. En regardant autour d'elle, elle fut étonnée du nombre de vélos garés autour du club.

Elle frissonna alors que l'air nocturne s'enroulait autour du haut blanc transparent et flirtait avec les larges plis de la jupe en cuir qu'elle portait. Ses mamelons étaient déjà maintenus dressés par les poignets qui les ornaient mais semblaient se plisser davantage et se presser contre le tissu de son chemisier alors qu'il inspectait ses cheveux qui avaient été tirés en deux tresses qui pendaient sur ses épaules.

Sa main glissa sur ses seins puis autour et le long de son dos pour finalement s'enrouler sous sa jupe pour lui caresser les fesses, accélérant sa respiration alors qu'elle se levait et acceptait ses caresses avec un petit sourire. Il se pencha pour l'embrasser sur le front et lui rendit son sourire.

"Tu es si adorablement sexy ce soir que je pourrais te baiser ici et maintenant", murmura-t-il à son oreille avant de se redresser, de lui prendre la main et de se diriger vers l'entrée du bâtiment. « Reste à mes côtés à tout moment, tu comprends ? » demanda brusquement Sire.

"Oui, Sire," répondit rapidement Susan sachant qu'il n'avait pas à demander. Ses yeux s'écarquillèrent en voyant les deux énormes motards qui se tenaient à l'entrée.

"Putain, Wildman, tu n'amènes pas une salope pendant des lustres et quand tu le fais, elle est prisonnière. Elle a une pièce d'identité ?" l'un des hommes énormes regarda Susan attentivement. "Elle n'a pas encore l'air de n'avoir plus de couches ! Et encore moins capable de gérer cet endroit."

"Elle est plus âgée que ta gosse," il sortit la carte d'identité de Susan de sa propre poche et la leur montra.

"Eh bien, baise-moi", rit-il et se pencha en avant, heurtant les épaules de Wildman.

"Ce serait le bon moment pour utiliser votre mot de sécurité et refuser sa demande," ricana Sire à Susan.

"Stop" couina-t-elle en riant, et le deuxième homme stoïque qui n'avait pas bougé ni rien dit éclata de rire.

"C'est putain d'inestimable, Wildman. Tu auras du mal à la garder pour toi là-dedans si tout ce qu'elle dit est si mignon," continua son rire profond et grondant.

"Tu penses que leur dire qu'elle s'appelle Tinker Susan, c'est trop alors ?" » dit Sire avec un sourire narquois, faisant rire davantage l'homme alors qu'il hochait la tête.

"Tu connais les règles Wildman, pas de tatouage, pas d'entrée et je ne peux même pas en voir un faux dessiné sur son petit corps chaud," Le premier homme continua de regarder Susan de près, la rendant mal à l'aise.

Avant qu'elle ne réalise ce qui se passait, Sire l'avait attrapée par la taille et l'avait soulevée, la retournant facilement de sorte que sa jupe tombait et exposait sa chatte à leur vue. "Vous voyez ça messieurs ? Pas besoin de falsification, c'est très réel", dit Sire avec fierté et Susan pouvait sentir les doigts de quelqu'un tracer le motif complexe du RM qui avait été le surnom de Robert, réalisant avec un éclat de clarté qu'à l'envers, il pouvait facilement se tromper. pour WW, William Wilder, alias Wildman. "Maintenant, éloigne-toi de mon chemin, idiot avant que je te donne un gros nez de clown rouge pour correspondre à ton attitude."

Le deuxième homme éclata de nouveau de rire et Sire emporta Susan dans le bar. La pièce de devant la surprit ; elle avait l'impression d'être entrée au Club Med. Une atmosphère tropicale imprégnait l'endroit ; quelques hommes et femmes étaient debout ou assis autour de boire et de jouer au billard, le bar était composé de femmes seins nus portant des colliers et des fleurs dans les cheveux, même si elles auraient pu être nues pour autant que Susan le sache car elle ne pouvait pas voir au-delà de leur taille.

"Je vais juste prendre une bière, puis je te ferai visiter", gronda Sire à son oreille et la conduisit au bar en l'aidant à monter sur un grand tabouret de bar. Les appels de son nom et les personnes qui l'ont approché ont fait prendre conscience à Susan que Sire était un homme populaire et très respecté parmi ces personnes. Elle a perdu la trace des noms qu'on lui avait dit lorsqu'on lui a présenté et a prié pour pouvoir les appeler Monsieur ou Madame si leurs noms ne lui venaient pas à l'esprit en cas de besoin.

"Ça," dit Sire en l'aidant à descendre du tabouret et en lui prenant la main, "C'est le bar avant." Il la conduisit vers le fond de la pièce et à travers une autre porte. "Et voici le bar du fond", sourit-il alors qu'elle regardait autour de lui. Il y avait plusieurs écrans de télévision installés dans les murs autour desquels des canapés et des tables basses étaient disposés en cercles. Une femme aux seins nus se tenait près de la porte, offrant des serviettes à ceux qui en voulaient. En l'entraînant plus loin dans la pièce, il s'assura qu'elle avait une bonne vue de l'action qui se déroulait dans plusieurs zones de la pièce.

Sur un canapé, une blonde maigre était à genoux, reposant sa tête sur l'accoudoir alors qu'elle regardait une vidéo porno d'une fille se faisant baiser par deux hommes simultanément. Alors qu'elle était agenouillée, une autre femme était allongée sur le dos, entre ses jambes, en train de manger sa chatte alors qu'elle se faisait à son tour baiser par un homme avec une barbe qui descendait jusqu'à sa poitrine. Ils semblaient indifférents au reste de la pièce ou aux observateurs.

Dans une autre zone de la pièce, un homme et une femme étaient assis habillés de façon décontractée comme s'ils étaient à un rendez-vous et regardaient un film d'action, mais chacun tenait la lourde laisse en chaîne d'un jeune homme et d'une jeune femme assis par terre devant eux et se caressant. vers l'apogée lentement, leurs yeux rivés sur leurs dominants pendant que le film jouait derrière eux. Alors que Susan continuait à regarder autour de la pièce, elle sentit sa propre excitation grandir face aux images et aux sons. Un autre groupe semblait se reposer après ses efforts alors qu'ils s'allongeaient les uns sur les autres, respirant lourdement.

Même si les thèmes sexuels du club de Robert étaient à la hauteur de cela, en dehors des scènes mises en avant, la plupart des pièces se déroulaient dans les salles privées. Susan essaya d'imaginer à quoi ressemblerait cette pièce lors d'un week-end chargé et si les groupes se mélangeaient pour ne former qu'une seule grande orgie. Elle sursauta en sentant la main de Sire plonger sous sa jupe et lui caresser légèrement la chatte.

"Je savais que tu apprécierais ici, tu es une petite salope tellement nécessiteuse," dit-il plus fort que Susan ne l'aurait souhaité alors qu'il caressait son clitoris, la faisant rougir profondément même si personne d'autre dans la pièce ne semblait reconnaître leur présence. Il retira sa main alors que sa respiration devenait haletante et lui fit claquer la langue, "Pas encore, fille gourmande." Il lui offrit son doigt à nettoyer et lui sourit alors qu'elle le suçait doucement.

Sire l'entraîna de nouveau vers l'autre bout de la pièce et à travers une grande porte vers une terrasse couverte. Il était décoré comme une station balnéaire avec un grand spa bouillonnant comme élément central et un petit bar sur le côté. "C'est ce que nous appelons la colonie nudiste ; la nudité n'est pas seulement attendue ici mais souvent imposée", lui sourit-il et passa une main sur ses seins couverts. "Nous devons encore trouver Ruth, pour que tu puisses garder tes vêtements," il fit une pause pour insister, "Pour l'instant."

Une fois de plus, des filles avec des serviettes se tenaient près de la porte et presque tous les espaces autour du spa étaient occupés par des matelas fins comme ceux utilisés sur les chaises autour des piscines, mais sans la structure des chaises. Deux couples se prélassaient, nus et apparemment indifférents tandis qu'elle et Sire regardaient autour d'eux et retournaient dans la pièce d'où ils venaient. Elle remarqua les casiers le long du mur qui conduisait au club et pencha la tête alors que la compréhension commençait.

Susan était à la fois anxieuse et excitée. Elle ne savait pas si elle redoutait d'être exposée ici ou si elle le voulait. Elle avait été pratiquement exposée dans le club de Robert plus d'une fois, mais les morceaux de tissu avec lesquels il l'avait habillée l'avaient protégée de la nudité totale. Il l'avait également utilisée devant d'autres personnes à plusieurs reprises, mais ces occasions n'impliquaient principalement qu'une seule autre personne. La seule véritable exception avait été le club de Singapour, mais elle avait été cachée sous la table pendant qu'elle lui avait sucé la bite, se faire baiser dans un espace aussi ouvert avec autant de voyeurs qu'ils voulaient regarder était tout autre chose.

Lui tenant fermement la main pour qu'il ne puisse pas l'abandonner ici, elle retourna à travers ce qu'elle considérait comme la salle d'orgie, ses yeux scrutant à nouveau les petits groupes. Elle était tellement impressionnée par le réarrangement du trio qui regardait la vidéo porno qu'elle n'avait pas remarqué l'homme s'approchant d'eux en souriant jusqu'à ce qu'il parle.

"Wildman ! Il était à peu près le moment où tu es arrivé ici." Un homme qui était aussi grand que Sire et encore plus large l'enlaça dans une étreinte d'ours avant de se tourner vers Susan et de la prendre dans une étreinte tout aussi écrasante qui la fit couiner. "C'est donc la petite fée qui a retenu votre attention ces derniers temps."

Les deux hommes la dominaient lorsqu'il la remit sur pied. Tous deux mesuraient bien plus d'un pied de plus qu'elle, et même si Sire était musclé et trapu ; Ruth était un homme gigantesque qui appréciait visiblement les excès que son succès lui permettait.

"Venez", les encouragea-t-il, "j'ai un prix si elle réussit l'initiation."

Susan se figea au mot initiation, et Sire la vit se raidir. Il sourit, peut-être qu'elle avait un réel sentiment d'auto-préservation lorsqu'elle n'était pas entièrement sûre de son environnement et des gens qui s'y trouvaient, il ne lui avait pas dit qu'elle pouvait faire confiance à Ruth, comme Andrew l'avait fait avec lui-même, alors il comprit et fut agréablement surpris. par sa réticence momentanée. Cela devrait être une soirée intéressante, et il sourit alors qu'elle le regardait en se mordillant la lèvre et en lui prenant à nouveau la main.

Susan marcha avec les hommes à travers le bar avant et vers le côté où un escalier menait vers le haut. Au sommet de l'escalier se trouvait un long couloir avec des portes qui y menaient à intervalles réguliers.

"Tu comptes rester ce soir, je suppose ?" » dit Ruth à Sire alors qu'ils marchaient dans le couloir.

"Ouais, je le pense. Je doute que cette petite salope échouera à ton test", rigola-t-il, et Ruth sourit sournoisement.

"Tu sais pourquoi ils m'appellent Ruth ?" Le grand homme s'était tourné vers Susan.

"Non, Monsieur," dit Susan d'une voix plus ferme que sa nervosité ne le lui aurait permis dans le passé.

"C'est l'abréviation de Ruthless," il lui lança un regard dur avant de laisser son sourire se dessiner aux coins de sa bouche. "Il," il secoua la tête en direction de Sire, "me connaît bien et me fait confiance avec ton petit corps sexy," il s'arrêta pour observer son visage à la recherche de signes de peur ou de réticence mais elle le regarda fixement, le seul indice qu'elle avait même Considérant ses paroles menaçantes, la lèvre qui se coinça soudainement entre ses dents alors qu'elle le regardait avec ces yeux verts brillants qui captaient son attention.

"Vous pouvez en prendre trois ce soir," fit-il un signe de tête à Sire et Susan regarda la porte devant laquelle ils s'étaient arrêtés.

Sire lâcha sa main et se pencha pour l'embrasser sur le front, "Confiance et obéissance petite", murmura-t-il, et plus fort il dit à Ruth, "Son mot de sécurité est Stop, si elle l'utilise, nous partons." Il y avait un ton dans sa voix qui indiquait qu'il pensait que si elle utilisait ce mot, ce ne serait pas elle qui supporterait le poids de sa déception.

Ruth se tourna et remonta le couloir en s'attendant à ce que la fille le suive. Susan jeta un dernier regard à Sire et suivit résolument le géant Ruth dans le couloir. Il ouvrit la porte au bout du couloir et la maintint ouverte pendant qu'elle entrait et regardait autour d'elle. Le déclic de la porte lorsqu'elle se ferma la fit sursauter. Elle se retourna et leva les yeux vers le grand homme qui la dominait, ne sachant pas quoi faire.

"Alors, que penses-tu de mon club ?" Il lui sourit et se dirigea vers un canapé bas où il s'assit lourdement, lui indiquant qu'elle devrait s'asseoir sur le tapis en face de lui. Entre eux se trouvait ce que Susan avait initialement pris pour une petite table d'appoint, mais la surface ressemblait davantage à un bol peu profond en équilibre sur les quatre pieds.

"C'est très différent des clubs que je connais, Monsieur," dit doucement Susan, ne sachant pas exactement comment elle devrait répondre. Ce club n'avait pas la richesse du décor ni l'ambiance sombre de la plupart des clubs dans lesquels elle avait été, qu'ils répondent ou non au style de vie.

"Bien sûr que si," rit Ruth, "Aucun connard prétentieux ne viendrait ici pour boire du kava et profiter de la vie insulaire avec moi." Il regarda Susan pencher la tête sans vraiment comprendre ses mots et sursauter lorsqu'une femme apparut à côté d'elle. La femme avait de beaux cheveux corbeau brillants qui tombaient directement dans son dos et s'enroulaient sous ses fesses alors qu'elle s'agenouillait et souriait à Susan. Susan observa presque jalousement sa peau couleur caramel alors qu'elle souriait en retour et remarqua les brassards tribaux tatoués qui ornaient ses biceps.

"Voici ma femme, Mata'Mo'Ana, vous l'appellerez Ana. Elle vous préparera pour la cérémonie", annonça Ruth en soulevant sa masse du siège bas pour dominer les femmes. Il les regarda pendant plusieurs minutes avant de se retourner et de quitter la pièce sans un autre mot. Susan lâcha le souffle qu'elle n'avait pas réalisé qu'elle retenait alors que la porte se refermait une fois de plus.

"N'ayez pas l'air si inquiet, il aime agir de manière intimidante mais c'est un cœur tendre en vérité", a déclaré Ana avec un riche accent.

"C'est plutôt le fait que je ne comprends pas vraiment ce qui se passe ou ce que je fais ici qui m'inquiète", a admis Susan. "Ils ont parlé d'une initiation et après avoir vu les escaliers quand je suis arrivée," sa voix s'éteignit et elle baissa les yeux sur ses mains qui reposaient sur ses genoux. Ana pouvait voir la tension chez la fille et commença à faire de son mieux pour apaiser son esprit.

"Tui a créé cet endroit comme un kalapu ou un club de kava avec son père quand il était plus jeune. Aux Tonga, aux Samoa et dans plusieurs îles du Pacifique, le kava est une boisson que les hommes partagent lors de grandes cérémonies ainsi que de manière informelle à l'occasion", a-t-elle fait une pause. pour laisser Susan prendre les explications et les informations sur le club.

"Qui est Tui ?" Elle pencha la tête alors que la femme lui souriait.

"Tui est également connu sous le nom de Ruthless ou Ruth par ses amis", a-t-elle expliqué. "Maintenant, vous devez apprendre quoi faire lors de la cérémonie du kava. Nous n'avons pas autant de temps que je le souhaiterais, alors je vous expliquerai au fur et à mesure. Êtes-vous prêt ?" Ana regarda Susan sérieusement.

Susan hocha la tête mais en vérité, elle n'était pas du tout sûre de ce à quoi elle était prête. Ils se dirigèrent vers une autre pièce et pendant qu'Ana assemblait le matériel, elle expliqua les traditions de la boisson Kava et les diverses cérémonies trouvées sur diverses îles du Pacifique et riait avec Susan pendant qu'elle expliquait la forme diluée appelée grog. Tui était originaire des Tonga et, comme son nom l'indique, il était un parent du roi, bien que éloigné. Pour cette raison, la consommation de kava et son rituel avaient pour lui une forte signification.

"A Tonga, le kava est bu tous les soirs au kalapu, qui est le mot tongien pour club. Seuls les hommes sont autorisés à boire le kava, bien que les femmes qui le servent puissent être présentes. La servante était traditionnellement une jeune femme vierge appelée tou'a. Ces jours, il est impératif que la tou'a n'ait aucun lien de parenté avec qui que ce soit dans le kalapu car il serait impossible de la juger honnêtement. Les filles étrangères sont souvent invitées à être tou'a pour une nuit pour cette raison, et donc s'il y avait des hommes qui se sentaient tellement enclins à la juger pleinement qu'ils pourraient lui faire une offre indécente sans représailles de la part de la famille. Le kava est servi en rondes dans des tasses en noix de coco et a un effet euphorisant sur les buveurs qui chantent souvent des chansons d'amour traditionnelles accompagnées de guitare et parlent de les talents tou'a." Ana finit enfin son explication.

Tout au long de sa conversation, Ana a patiemment enseigné à Susan comment préparer la boisson en utilisant le Fu'u, une forme en poudre de Kava habituellement réservée à la famille royale tongienne et que Tui avait importée à intervalles réguliers tout au long de l'année. Le processus consistant à ajouter du liquide et à pétrir la poudre de racine en une pâte fibreuse avant de créer la boisson dans la grande bouilloire ornementale en bois était assez intimidant, mais Susan a persévéré jusqu'à ce qu'elle s'approche de la perfection.

Ana l'a ensuite emmenée s'habiller convenablement pour la cérémonie et Susan craignait que la nuit ne se fasse trop tard, mais l'autre femme ne semblait pas pressée alors qu'elle aidait Susan à se déshabiller et lui montrait comment positionner le collier floral sur ses épaules et autour de ses hanches en terminant par plaçant plusieurs fleurs dans ses cheveux. Avant qu'ils ne quittent l'isolement des pièces et ne se dirigent vers eux, Ana en bas arrêta Susan et la retourna, alors elles se faisaient face.

"Bien que les hommes croient que cette cérémonie est entièrement consacrée à eux et à leur domination sur les femmes, ce n'est pas du tout le cas", a-t-elle commencé. "Observez attentivement ceux que vous servez ce soir car une fois dans l'état de détente induit par le kava, vous verrez la vraie nature de l'homme émerger alors qu'il baissera sa garde." Comme toujours, Susan resta silencieuse lorsqu'on lui donna de nouvelles informations et se mordit la lèvre en réfléchissant à ce qu'Ana avait dit. "Si une jeune femme est courtisée, elle verra la vraie nature de l'homme lorsqu'elle agira comme Tou'a pour lui, s'il s'en tient à ses paroles et à ses croyances ou s'il a de mauvaises pensées dans son esprit et dans ses actes."

Susan hocha la tête pour montrer sa compréhension et suivit Ana en bas, vêtue uniquement de colliers de fleurs, la tête haute, sachant qu'elle occuperait une position importante dans la cérémonie de ce soir et qu'elle devait agir de manière appropriée. Ils se dirigèrent vers le pont arrière, où la nudité était exigée, et se dirigèrent vers l'endroit où un groupe de plusieurs hommes étaient assis en cercle sur les mêmes coussins bas, dont le géant, Ruth et Sire. Chacun était assis avec les jambes croisées, exposant leur nudité apparemment indifférent et un rapide coup d'œil autour d'elle révéla à Susan qu'aucun d'entre eux n'avait de quoi être timide dans le groupe.

Anna resta en retrait du cercle, se tenant à une certaine distance derrière Ruth, souriant d'un air encourageant tandis que Susan prenait place devant le support en bois contenant la bouilloire d'eau. Elle prit sa pochette de Fu'u et la vida dans un petit plat peu profond placé devant la bouilloire et alors que les hommes recommençaient à parler autour d'elle, elle commença la cérémonie complexe de préparation. Comme Ana le lui avait appris, elle restait tranquille et franchissait toutes les étapes lentement et soigneusement pendant que les hommes autour d'elle commentaient sa technique. Finalement, elle versa la première louche dans une noix de coco et se déploya de sa position agenouillée pour la présenter à Ruth, la tête baissée.

Il le prit à son tour avec un rituel égal et porta un toast à sa culture, à ses amis et à la tou'a. Chaque homme a emboîté le pas pendant qu'elle le servait et au moment où elle avait fini de servir le dernier homme du groupe, elle a découvert que la tasse originale donnée à Ruth était vide et elle a immédiatement commencé le deuxième tour. Au cours de ce deuxième tour, les commentaires sur sa technique ont cessé et elle s'est retrouvée à rougir alors qu'ils commentaient son corps, des boucles de ses cheveux à sa chatte chauve et à la couleur de ses lèvres.

Le deuxième tour s'est déroulé plus lentement et elle a constaté qu'elle avait le temps de s'asseoir et de remuer la boisson avant d'être appelée pour remplir à nouveau les tasses. Le breuvage devenait plus puissant à chaque tour et une guitare fut tirée par l'un des hommes et le chant commença. Elle a été stupéfaite par les belles harmonies que ces hommes créaient en chantant .

Les petites tasses de noix de coco à moitié décortiquées contenaient à peine plus de trois gorgées de boisson, mais Sire en refusa une troisième tandis que les autres hommes continuaient à boire. Susan pouvait voir les hommes se détendre visiblement sous l'influence du kava, et leur discours devint plus obscène en référence à son physique et au fait que la petite fée ne pouvait pas supporter de prendre l'un des hommes bien membrés présents dans sa petite chatte.

"Ce n'est pas la petite fille naïve pour laquelle vous la prenez," rit Sire, "la bite de son dernier amant vous ferait tous ressembler à de jeunes garçons en comparaison" Il y eut un éclat de rire parmi les hommes.

"Est-ce vrai," reconnut l'homme que Susan et Bozo, qui les avait interrogés lorsqu'ils étaient entrés plus tôt, "Eh bien, elle n'est plus avec lui maintenant, peut-être qu'il a renoncé à entrer dans cette petite boîte étroite." Susan sentit son cœur s'arrêter alors que l'homme parlait de Robert comme s'il était encore en vie et baissa la tête pour que personne ne voie la douleur qui traversait son visage.

"Il est mort en sachant à quel point c'était quelque chose de bon, je doute que vous le sachiez un jour maintenant," gronda Sire en regardant la réaction de Susan. Il pouvait voir la montée et la descente de ses épaules alors qu'elle prenait une profonde inspiration pour calmer ses émotions.

"Il a probablement tué..." commença Boza avec un ton malveillant dans la voix.

"Je pense que je vais faire à votre Tou'a une offre qu'elle ne peut pas refuser," dit Sire coupant les mots méchants sortant de la bouche de Bozo, "Si ça te va Ruth ?"

"Si tu attendais plus longtemps, je l'aurais moi-même", sourit Ruth et lui fit signe de venir vers lui avant de la prendre dans une forte étreinte. "Tu as bien fait, petite fée, tu as mérité ton prix." Il sourit, "Aidez Ana avec la nourriture avant d'entendre cette offre que vous ne pouvez pas refuser, s'il vous plaît."

Les deux femmes portaient des plateaux de ce qui semblait être des rouleaux de chou et une sorte de raviolis aux hommes qui mangeaient avec leurs doigts. Alors qu'elle se dirigeait vers Bozo, il lui attrapa la main, faisant presque tomber le plateau et la maintint en place en murmurant : "Alors que s'est-il passé, le vieux papa sucré a eu une crise cardiaque avant que tu puisses lui prendre tout son argent, petite salope ?" Susan essaya de libérer son bras sans provoquer de scène, mais c'était impossible. "Je connais ton genre ; je devrais te donner une leçon, mais tu aimerais probablement ça, n'est-ce pas ? Putain de pute," ricana-t-il.

"Stop", murmura de sa bouche mais elle n'eut pas besoin de le dire plus fort car voyant ce qui se passait, Sire était déjà debout mais ayant été arrêté par Ruth, il resta à sa place tandis que Ruth s'approchait et frappait son poing. La mâchoire de Bozo le fit basculer en arrière, entraînant Susan avec lui et renversant le plateau de nourriture.

Tout s'est passé si vite que la prochaine chose qu'elle a su, c'est qu'elle était par-dessus l'épaule de Sire dans sa cale typique de pompier et qu'il montait les escaliers deux à la fois. Sire la jeta sur le lit et resta au-dessus d'elle en regardant brièvement autour de lui. "Bien, tes vêtements sont là."

"Je suis vraiment désolée, Sire," murmura tristement Susan, "Je n'ai jamais voulu dire..."

"Tu n'as rien à regretter," dit-il doucement en s'accroupissant devant elle, venant à son niveau pour changer. "C'était entièrement de ma faute. J'ai bêtement évoqué ton dernier Maître. Je n'y pensais pas, pardonne-moi." Sire la regarda sérieusement. "Je m'excuse de vous avoir mis dans une situation comme celle-là." Il prit son visage entre ses mains et l'embrassa doucement. "En vérité, je suis fier de toi, d'avoir reconnu que tu étais à la limite et que tu n'en pouvais plus."

"J'étais juste choqué. Je veux dire, j'ai été tenu à l'écart de tout média ou insinuation sur la différence d'âge entre Robert et moi. Je n'ai jamais vraiment pensé à ce à quoi cela a dû ressembler aux gens qui ne nous connaissaient pas." Les larmes brillaient dans ses yeux pendant qu'elle parlait. "Je suis vraiment désolé d'avoir gâché ta soirée, le kava est censé être relaxant et euphorisant, et j'ai tout faux."

"Tu n'as pas fait une telle chose," grogna Ruth depuis la porte, faisant sursauter Susan. "Vous resterez ce soir, nous discuterons pendant le petit-déjeuner et vous recevrez votre prix", ordonna-t-il, puis il secoua la tête en direction de Sire.

"Je reviens tout de suite", Sire embrassa le front de Susan et suivit Ruth depuis la pièce jusqu'à la porte. Il y avait beaucoup de monde et Susan, se sentant coupable et honteuse, baissa la tête.

Ana entra après son départ avec le sourire. "Nous, les femmes, voyons le vrai visage du Kava, et il n'est pas toujours beau." La femme à la voix calme sourit sournoisement ; En parlant de beau, il y en a un autre qui souhaite voir que vous êtes indemne de l'incident. " Elle s'écarta et une autre grande forme remplit l'embrasure de la porte.

« Barry ! » S'exclama Susan. "Je veux dire, Sir Barry," se corrigea immédiatement Susan, le faisant rire.

"Bonjour Susan," dit-il laconiquement, "Gregory m'a demandé de venir te voir cette fois, il n'était pas très impressionné que tu sois là. Moi, d'un autre côté, j'adore ça, la nourriture est incroyable." » Dit-il en essayant de la mettre à l'aise face à sa soudaine présence inopinée.

"Je n'ai pas eu le temps d'essayer quoi que ce soit," dit doucement Susan mais avec un sourire, "Mais ça avait l'air vraiment bien." Barry haussa un sourcil à ses paroles. Et elle a rapidement modifié ce qu'elle avait dit. "Je veux dire, j'ai été tellement occupé jusqu'à présent ce soir, j'ai mangé tout ce que je pouvais mettre la main ces derniers temps, j'ai hâte de revenir au club et de choisir à nouveau dans votre menu." Barry éclata de rire.

"Bien, je t'attendrai dès ton retour. Je te préparerai quelque chose de spécial dimanche soir," fit-il un clin d'œil, "Viens, allons prendre un verre." Il lui tendit la main et fronça les sourcils lorsqu'elle ne la prit pas immédiatement.

"Je suis sous la protection et la direction de Sire, Wildman, donc je devrais vraiment attendre qu'il revienne avant d'aller quelque part," Susan se mordit la lèvre et leva les yeux vers Barry.

"J'avais oublié à quel point tu étais une bonne fille," Barry s'assit sur le lit à côté d'elle, "Nous attendrons alors et tu pourras me dire à quel point tu es heureux depuis que je t'ai vu pour la dernière fois. Pourrais-tu commander de la nourriture fabuleuse pour quand nous arriver en bas ?" Barry s'adressa à Ana.

"Bien sûr", dit-elle en quittant la pièce. Barry avait une attitude facile face à la vie, tout comme Andrew. De la même manière qu'Andrew avait équilibré les méthodes de contrôle sévères de Robert, Barry semblait équilibrer Gregory. Pendant qu'ils discutaient, elle pouvait comprendre pourquoi chaque homme avait choisi l'autre pour travailler comme mentor, et elle souriait de la similitude entre eux, Susan aurait presque pu avoir une conversation avec Andrew alors qu'elle était assise à parler de son temps avec Sire.

Barry était heureux d'avoir appris à connaître certaines de ses propres limites et d'utiliser un mot de sécurité lorsqu'elle était poussée trop loin. Il n'était pas sûr de tout ce projet visant à former la fille avec une variété de maîtres issus du groupe des parties prenantes, mais il est clair que cette fois avec Sire avait été bénéfique à plusieurs niveaux.

Sire revint un homme beaucoup plus calme et serra joyeusement la main de Barry soulagé que ce ne soit pas Gregory qui était venu les rencontrer au club de kava. Dans son esprit, il avait prévu que ce soit Barry qui les rencontrerait, mais il ne pouvait jamais en être sûr, Gregory semblait prendre ses fonctions si au sérieux en ce qui concerne Susan, la rencontre avec lui chez James et Sarah avait été un oeil. -ouverture pour le moins.

Ils redescendirent ensemble, traversant le bar d'entrée. Susan était consciente qu'elle restait vêtue uniquement du collier de fleurs qu'elle portait en servant le kava. La salle d'orgie s'était encore remplie depuis son arrivée dans l'après-midi, et il y avait de l'action partout pour accompagner le porno qui coulait à travers les écrans au-dessus des petits meubles. Se dirigeant vers le bar du fond, Susan se leva pendant que les hommes se déshabillaient et regardaient autour d'eux. L'action de la salle d'orgie s'était légèrement étendue à cette zone, de sorte qu'un couple s'allongeait tordu autour du spa.

En s'approchant du bar, Sire souleva facilement Susan sur un grand tabouret de bar. Sur invitation, ils prirent la nourriture qui les attendait et retournèrent vers les hommes qui étaient encore assis autour du cercle de kava chantant et buvant. Plutôt que de retourner au centre du cercle, Susan s'assit entre Sire et Barry et se sentit comme si elle était enveloppée dans une bulle de sécurité. Ruth les rejoignit après un moment et bloqua sa vue sur le reste de la pièce avec sa taille énorme, alors elle se mit à étudier la manche du tatouage qui couvrait le bras gauche de Barry et le côté gauche du haut de sa poitrine. Elle fut fascinée par le dessin et ses yeux devinrent lourds alors qu'elle écoutait sans enthousiasme la conversation autour d'elle jusqu'à ce que la conversation se tourne à nouveau pleinement vers elle et ses attributs.

"J'espérais qu'elle éprouve le sentiment d'être partagée ici ce soir, je ne crois pas qu'elle ait jamais été prise par plusieurs partenaires auparavant et je crois que c'est une salope qui apprécierait beaucoup ça," Sire la regarda de haut. , "Sans parler à quel point j'aimerais le regarder." Susan sentit sa poitrine se serrer d'anxiété mais les muscles de sa chatte se contractèrent d'excitation à l'idée d'être utilisée dans la salle d'orgie.

C'est avec surprise que Sire la releva en lui annonçant : "Mais il paraît que l'heure du coucher de la petite est passée, si vous voulez bien nous excuser messieurs." Il y eut des murmures de déception dans le cercle mais aucun ne bougea pour les empêcher de partir.

"Je ne suis pas si fatiguée", murmura Susan à l'oreille de Sir alors qu'il se dirigeait vers l'endroit où lui et Barry avaient placé leurs vêtements dans un casier. Il l'éloigna de lui et la regarda dans les yeux, jugeant ses mots à travers ses yeux.

"Chacun de ces hommes a exprimé un certain désir, es-tu sûr que c'est ce que tu veux ?" Il s'était retourné vers le groupe pour qu'elle puisse voir les hommes qui les regardaient. « Cela a été une longue journée mouvementée et je ne vous pousserai pas à cela à moins que ce soit quelque chose que vous vouliez faire.

Susan se mordit la lèvre avec anxiété, mais voyant l'excitation se refléter dans les yeux de Sire, elle hocha la tête. "Vous resterez et vous assurerez que je suis en sécurité et que je prends soin de moi, donc je n'ai rien à craindre", a-t-elle exprimé ses pensées.

"Crois-moi, petite salope", sourit Sire et fit un signe de tête à Tui qui souleva sa masse du siège bas et conduisit les hommes dans la salle d'orgie. Il nous ouvrit la voie vers un petit cadre circulaire à côté du petit bar qui semblait être réservé à son usage. Susan regarda l'action qui se déroulait tout autour de la pièce alors qu'ils traversaient, les yeux écarquillés alors qu'elle essayait de distinguer les guirlandes complexes. Il semblait qu'aucun organe génital ou sein n'était laissé découvert par la main, la bouche ou l'aine et elle s'émerveillait de l'air d'abandon et du volume de bruit qui l'entourait.

Sire la déposa sur la table basse ronde au milieu de l'espace et elle regarda nerveusement autour d'elle. Tua a passé un bandeau sur les yeux à Sire expliquant la tradition selon laquelle elle ne voit pas qui a choisi de tester les attributs du tou avant de proposer formellement à sa famille de l'emmener chez lui. "Comme beaucoup d'anciennes traditions, cela ne rentre pas vraiment dans ce cadre en tant que tel, mais j'apprécie le rituel et j'aimerais qu'elle le porte", Tui lui sourit et elle acquiesça.

Père se pencha pour lui mettre le bandeau sur les yeux en murmurant : "La première bite que tu suceras sera la mienne, alors je resterai près, tu seras en sécurité."

"Je sais," dit Susan tout aussi doucement, laissant sa déclaration exprimer sa confiance en lui alors qu'elle perdait l'usage de la vue. Elle sentit les mains de Sires la soulever de l'endroit où elle s'était assise sur ses talons pour la positionner sur ses mains et ses genoux. Elle respira profondément et sentit un frisson parcourir sa colonne vertébrale alors qu'elle écarta légèrement les lèvres pour accepter la bite qu'elle avait si bien connue au cours des dernières semaines. Elle pouvait entendre les commentaires élogieux murmurés sur sa technique et la profondeur avec laquelle elle prenait la bite en elle dans sa gorge alors qu'elle gargouillait et bavait.

Barry a regardé, contrairement à Gregory, il n'avait aucun scrupule en matière de sexe en groupe et a été agréablement surpris lorsqu'un bol de préservatifs a été passé parmi le groupe entre hommes. On lui avait dit alors qu'il était assis que le but de cette scène était de jouir sur la fille qui n'était pas en elle, l'enduisant de la preuve de leur excitation et de leur désir, sans risque de fécondation, un peu comme le faisaient les

Japonais lors de la cérémonie du bukkake. Il regarda un jeune homme se placer derrière elle et rouler un préservatif sur sa queue.

Sire sortit de la bouche de Susan avec un grognement et aspergea son visage de sa charge alors qu'elle gémissait et haletait, revenant à la baise qu'elle recevait du jeune homme qui semblait tout aussi enthousiaste. Sire retomba sur une chaise, respirant lourdement alors qu'un nouveau coq prenait place à sa bouche. Bien que dominants dans leur propre culture, peu de ces hommes étaient dominants dans le sens de l'esclavage et Sire pouvait voir le corps brûlant de Susan frémir sans aucun du réel plaisir que lui procurait le plaisir mêlé de douleur. L'homme derrière Susan s'est retiré et, déchirant le préservatif, a pompé sa bite alors qu'il se dirigeait vers sa tête, lui tirant le visage de la bite qu'elle suçait et pulvérisant sa charge sur ses seins alors qu'elle couinait et haletait.

La lâchant prise, Susan se laissa lourdement tomber sur la table et trouva sa main la rouler sur le dos. Elle sentit la bite glisser à nouveau entre ses lèvres alors qu'une nouvelle bite entrait dans sa chatte. Des mains attrapèrent ses seins, taquinant les mamelons et elle gargouilla de plaisir alors qu'ils étaient durement pincés. Si elle avait pu en demander plus, elle l'aurait fait, car la petite sensation de picotement que le pincement lui procurait mourut rapidement et son excitation diminua plutôt que de se développer vers des sommets plus élevés qui la verraient exploser dans l'orgasme.

"Ces seins ne valent pas la peine d'être baisés, mais si je me souviens bien, ils sont joliment colorés", sourit Barry à Sire et tendit une main pour gifler le côté d'un sein, le suivant rapidement avec la même chose sur l'autre. Barry n'en avait pas fini avec elle cependant, sachant exactement à quoi ressemblait Robert, il lui pinça les tétons et les tordit alors qu'il se penchait près de son oreille, "Tu aimes ça, n'est-ce pas, petite salope, toute cette baise et cette succion mais je sais ce qu'elle Il relâcha ses tétons et frappa à nouveau ses seins, appréciant les cris étouffés et regardant son corps se déformer comme s'il en demandait plus.

Susan se figea momentanément ; elle avait oublié que Barry était là jusqu'à ce qu'elle entende sa voix. La douleur s'enflamma dans son cerveau et elle se jeta sur l'homme qui la baisait qui gémit avec appréciation en sentant ses muscles se resserrer autour de sa queue. Elle rougit à l'idée que Barry raconte les événements de cette nuit et sentit le sperme sécher sur son visage et ses seins. Bloquant sa voix de son cerveau désormais enfiévré, Susan se laissa profiter des sensations des bites et du sperme alors qu'elle s'allongeait au centre d'un groupe d'hommes comme un jouet de baise précieux.

Barry recula tandis que les deux hommes se retiraient d'elle et pulvérisaient simultanément leur sperme sur son ventre, ses seins et son visage. Prenant le contrôle, Barry la tira vers ses mains et ses pieds, la pénétrant brutalement et enroulant sa main autour de sa cuisse pour pincer et tordre son clitoris gonflé. Elle a crié de douleur et de plaisir jusqu'à ce qu'elle soit à nouveau réduite au silence par le grand homme Tui qui lui a enfoncé sa bite dans la gorge.

Susan laissa sa mâchoire se détendre, ne sachant pas à qui elle sucait la bite ni qui la baisait, mais elle devina que c'était Barry qui torturait son clitoris alors qu'elle lui giflait le cul avec sa main libre. Elle était sur le point de jouir et son corps tremblait, ses genoux vacillaient sur la surface de la table. La gifle a continué et Susan a joui avec force, sa chatte palpitant autour de la bite alors qu'elle criait autour de la bite dans sa gorge, faisant gémir bruyamment l'homme devant elle et la tirer de sa bouche en la giclant à nouveau avec son sperme. Son visage avait l'impression d'être dégoulinant de bave alors que la bite sortait de sa chatte et s'inclinait vers la petite étoile noire ou son cul.

Un autre coq se fraya un chemin devant ses lèvres haletantes alors que Barry poussait en avant au-delà de l'anneau serré de son anus. Susan hurlait autour de la bite, ses larmes tombant librement dans la bouche se mélangeant au sperme et à la bave qui couvraient déjà son visage alors qu'elle continuait à jouir des vagues qui parcouraient son corps. Même si elle savait que personne ne pouvait voir ses yeux rouler dans sa tête avec le plaisir douloureux que les hommes invisibles lui procuraient et elle se perdit dans les hauteurs, elle flotta en perdant la trace du temps qu'elle resta là.

Sire regarda le corps de Susan se contracter entre les deux hommes, il pouvait voir qu'elle flottait maintenant sur une hauteur qui la verrait s'évanouir si les vagues continuaient à rouler à travers son corps, il se leva et plaça sa main sur sa taille pour la soutenir. Les hommes voyant son mouvement se laissèrent finir plus vite qu'ils ne l'auraient pu autrement en s'éloignant tandis que Sire la posait doucement sur la table dans une flaque de sperme collante et tremblante avant d'ajouter le leur à son corps et à son visage.

Susan haletait et gémissait alors qu'elle redescendait lentement sur terre, ses yeux papillonnant alors que le bandeau était retiré. Sire l'aida à siroter de l'eau avant de regagner sa propre chaise et de reprendre la conversation alors qu'elle s'allongeait sur la table au milieu du cercle en train de se remettre.

En ouvrant les yeux au contact d'une main tendre, Susan sourit doucement en voyant Ana à côté d'elle avec un bol en bois et un chiffon. Ses lourdes paupières se refermèrent cependant et elle se laissa toucher par les doux contacts d'Ana jusqu'à ce qu'elle soit soulevée dans les bras de Sires et portée à l'étage.

Une fois sa respiration redevenue normale, Sire souhaita bonne nuit à son ami et vint la chercher. Susan se blottit contre elle alors que Sire la tenait inhabituellement près de lui alors qu'il se dirigeait vers la chambre qu'ils partageraient. Il était très tard et voyant qu'elle était épuisée, Sire ôta ses fleurs et la déposa soigneusement dans son lit, se glissant à côté d'elle et l'attirant vers lui.

"Dors maintenant, petit," murmura-t-il doucement.

*****

Le matin, ils prirent leur petit-déjeuner dans la grande suite que Ruth occupait avec Ana, les deux femmes servant aux hommes des plateaux de fruits tropicaux et de petits plateaux de gros morceaux de pain grillés, ainsi que du jambon et des œufs. Susan a reçu, en grande cérémonie, un kava préparé et servi avec une bouilloire et un petit bol peu profond sur pieds. Comme leur voyage allait encore durer quelques jours, Barry lui a proposé de l'emmener à son appartement pour elle, et elle a accepté avec gratitude après avoir promis à Ruth qu'elle pratiquerait et renouvellerait ses compétences chaque fois qu'elle le pourrait.

Ils quittaient le club par le bar avant lorsqu'elle fut arrêtée par une main posée sur son bras. Surpris, elle se tourna et leva les yeux vers le visage meurtri de l'homme qui l'avait abordée la nuit précédente.

"Je m'excuse pour la façon dont je t'ai traité, car tu méritais le respect, et j'ai honte", dit-il doucement.

"Puis-je avoir un moment, s'il te plaît," Susan s'était rapidement retournée pour regarder Sire et Barry, les sentant se hérisser derrière elle. Sire hocha brièvement la tête mais ne bougea pas d'elle.

"Je réalise maintenant que tu as dû te faire du mal pour avoir dit les choses que tu m'as faites. Mon Maître est mort en me protégeant d'une pluie de balles ; je savais que même lorsque nous n'étions pas ensemble, il me protégeait ; il m'aime et me protège encore maintenant," elle leva les yeux vers Barry et Sire. "Il s'est assuré que je savais à quel point j'étais précieuse pour lui. Il m'a suivi à chaque fois que je fuyais un défi, il a fait des compromis et m'a pardonné d'avoir été stupide. Si ton cœur est tellement brisé qu'il te dérange, alors retrouve-la et pardonne-lui tout ce qu'elle a fait, car il n'y a jamais assez d'heures dans la journée pour les perdre en jalousie et en souffrance."

L'homme resta stupéfait alors que Susan levait la main et la plaçait sur son cœur avant de se détourner et de quitter le bâtiment. Il fallut un moment à Sire et Barry pour la suivre. "C'est très bien dit petit," dit Sire en souriant, "Peut-être que je t'ai encore sous-estimé."

"Je pense que tout le monde sous-estime cette fille," Barry la serra dans ses bras, "Appelle si tu as besoin de moi, je te reverrai au club dans quelques jours." Susan le regarda monter sur son propre vélo alors qu'ils se dirigeaient vers chez Sire et se retrouva reconnaissante que Gregory n'ait pas été là pour assister à la scène de la nuit précédente, sinon tous ses plans auraient pu immédiatement opposer leur veto.

Ils ont voyagé à travers la brousse sauvage pendant encore plusieurs jours, découvrant des affleurements rocheux et de magnifiques cascades cachées, avant de finalement retourner à la civilisation et à la fin de leur temps ensemble.

*****

Susan s'est réveillée dans son propre lit au son joyeux de la radio matinale et a senti une étrange solitude l'envahir. Elle cligna des yeux jusqu'à se réveiller complètement et regarda autour de sa chambre. Elle savait qu'elle devait déménager et contemplait le vaste entrepôt dans lequel vivait Sire. Ce n'était pas vraiment ce qu'elle voulait non plus. À vrai dire; elle ne savait pas ce qu'elle voulait, sauf qu'elle ne voulait pas être ici entourée de tout ce qui était Robert.

Elle sortit du lit et étira son corps endoloris. Sire l'avait bien utilisée ces derniers jours et alors qu'elle se dirigeait vers la salle de bain, passant devant le miroir, elle remarqua des ecchymoses qui prendraient un jour ou deux à guérir. En passant par son rituel matinal consistant à se raser tout le corps sous une douche torride, elle a réfléchi à quelles seraient ses priorités pour les semaines à venir dans le monde des affaires. Elle attendait avec impatience le défi de travailler avec Alan et elle souriait en se séchant les cheveux et en se maquillant.

Toujours vêtue uniquement de ses sous-vêtements, elle se rendit à la cuisine à la recherche de quelque chose pour le petit-déjeuner. Elle avait fait quelques promesses à Sire avant qu'il ne la quitte finalement hier soir et l'une d'elles était de continuer à manger correctement. Elle constata comme toujours que sa cuisine était bien approvisionnée et, remerciant silencieusement Andrew, qui veillait sur elle, reconnut que vivre ici avait ses avantages malgré son sentiment d'être piégée par le souvenir de Robert. Elle a mangé des céréales et du pain aux fruits grillé avant d'aller s'habiller.

Elle avait prévu de rejoindre l'entreprise plus tôt, mais s'est rendu compte qu'elle ne savait pas s'il y avait eu des changements de bureau ni même comment elle y arriverait. Elle a supposé qu'Alan arriverait tôt et a décidé de se diriger vers la réception et de lui demander de lui appeler un taxi ou une voiture de société. En quittant son appartement, elle remarqua la porte de l'appartement d'Andrew ouverte et passa la tête.

"Bonjour, ma chérie," la salua Andrew depuis le salon confortable où il était assis avec un homme trapu. "J'attendais que tu émerges."

"Bonjour Maître Andrew," dit joyeusement Susan. "Bonjour", ajouta-t-elle en saluant l'autre homme qu'elle ne connaissait pas.

"Voici Lincoln", a déclaré Andrew en guise d'introduction, "Il sera votre chauffeur pendant que vous serez en ville."

"Oh, je suis sûre que je n'ai pas besoin d'un chauffeur tout seul. Je pensais juste à acheter une petite voiture que je pourrais conduire pour aller au travail tous les jours et peut-être à la maison le week-end", a-t-elle été surprise par l'annonce. "Mon ancien semblait être mort quand je l'ai vu chez mes parents il y a quelques semaines."

"Avec la circulation et le stationnement et tout, c'est juste mieux ainsi", la rassura Andrew tout en imposant ce qu'il voulait. "Gregory ou moi pouvons te ramener à la maison si tu veux partir en week-end," sourit-il. "C'est toujours bon de voir Carla quand je suis là-bas.

"Oh, d'accord, je suppose," acquiesça Susan. "Je ne voulais simplement causer aucun problème à qui que ce soit alors que je suis heureux de conduire moi-même."

"Pas de problème du tout," dit Lincoln en se levant, "je serais sans emploi autrement. Je suppose que tu es prêt à partir alors ?"

"Oui, s'il te plaît," sourit Susan avant de se retourner vers Andrew, "Sais-tu s'ils ont déjà changé de bureau ?"

"Ils l'ont fait, mais arrêtez-vous et voyez Anne et Alan quand vous arriverez, ils vous attendront", suggéra Andrew. "C'est bon de te revoir, Susan. Dîne avec moi ce soir."

"J'ai en quelque sorte promis à Barry que je dînerais avec lui au club ce soir et que je le laisserais me montrer un nouveau plat qu'il essayait", dit-elle pensivement.

"Ah, bien, nous pouvons nous rattraper là-bas," sourit-il, et elle se mordit la lèvre en se demandant si cela dérangerait Barry, mais elle ne devina pas et lui rendit son sourire. Il se leva avec eux et se prépara à partir. "Je pourrais venir ce matin et voir les manigances qui se déroulent à ton retour," il rit légèrement devant l'expression d'horreur sur son visage. "La rumeur veut que vous soyez sur le point de monter une OPA hostile", rit-il plus pleinement, "et j'ai décidé que je voulais voir ça."

"Eh bien, vous savez, avec le soutien d'un prince du Moyen-Orient et tout," dit-elle avec désinvolture, mais intérieurement elle gémit. Elle avait juste espéré passer inaperçue et lancer son plan d'affaires qui lui permettrait de démarrer une nouvelle carrière, une carrière qu'elle avait vraiment hâte de démarrer.

Elle venait de passer deux semaines sans le rappel constant de Robert et les regards compatissants de ses amis et, désormais confrontée à la réalité, son enthousiasme à retourner dans l'entreprise s'est affaibli. Prenant une profonde inspiration, elle prit résolument la petite mallette qui contenait son téléphone, son portefeuille et beaucoup d'espace vide. Puis elle a marché avec les hommes jusqu'au parking situé sous le bâtiment.

Andrew lui a posé des questions sur le temps qu'elle avait passé avec Sire lors du court trajet en voiture, lui faisant promettre de lui en dire plus lorsqu'ils se verraient ce soir-là. Susan n'était pas sûre de vouloir partager grand-chose de ce qui s'était passé pendant ces deux semaines avec Sire. Elle travaillait encore sur tout ce qu'elle avait appris dans son esprit, mais elle aimait Andrew et savait qu'il se souciait d'elle et ne demandait que par souci pour elle, alors elle avait accepté.

Ils entrèrent dans le bâtiment par le hall et, comme d'habitude, Susan fut accueillie chaleureusement comme si elle avait toujours été à sa place ici, dans le monde des grandes entreprises. Elle sourit et salua tout le monde à tour de rôle. L'ascenseur était bondé et de petites voix douces lui souhaitèrent la bienvenue et lui dirent qu'elles étaient heureuses de la voir si bien. Elle fit de son mieux pour avoir une conversation polie et remercier chaque personne, mais elle fut reconnaissante lorsque chacun d'eux sortit à différents étages avant d'atteindre le sommet.

En se dirigeant vers les suites exécutives, Susan a enduré une autre série de salutations et de bavardages jusqu'à ce qu'elle se retrouve finalement dans l'antichambre en serrant Anne dans ses bras, qui la retenait et la regardait d'un œil critique. "J'ai dû relever le défi en montant, n'est-ce pas chérie ?" » Demanda-t-elle en serrant Susan contre elle une seconde fois.

"Oui, mais je suppose que je ne devrais pas être surprise, il faudra un certain temps pour que les gens s'habituent à me revoir tous les jours. J'ai vraiment hâte de commencer ce plan d'affaires," dit-elle, son enthousiasme éclairant sa voix. .

"Je vais voir Alan," dit Andrew en se dirigeant vers la porte du bureau, "Vous deux, les filles, prenez une minute, entrez quand vous serez prêtes."

Susan regarda la porte du bureau d'Alan s'ouvrir et se fermer. C'était étrange de savoir que c'était désormais le bureau d'Alan, alors qu'il avait toujours été celui de Robert. Elle n'était pas revenue ici depuis peu de temps après sa mort ; quand elle avait eu une crise émotionnelle totale et que son espace ici dans l'entreprise avait été modifié. Elle regarda avec un regard nouveau l'antichambre qui était maintenant le bureau d'Anne et qui avait été autrefois le sien.

Il avait été redécoré et si elle n'avait pas eu le temps d'y réfléchir, elle n'aurait probablement même pas su que c'était le même bureau ; il avait été modifié de façon si radicale. "J'adore ce que tu as fait ici," dit-elle avec trop de vivacité.

"Je suis tellement heureuse que tu approuves," Anne lui lança à nouveau un regard évaluateur. "Oh chérie, nous essayons tous juste d'avancer, à notre manière, c'est normal de ressentir..."

"Je sais," dit doucement Susan, la rassurant rapidement, "C'est vraiment incroyable !" mais son enthousiasme ne transparaissait pas dans le ton de sa voix. Anne fronça les sourcils et continua rapidement : "Il faudra juste un peu de temps pour s'habituer à tous les changements, c'est tout. Vous avez vraiment fait un excellent travail."

"Eh bien, prépare-toi, chérie," Anne se plaça derrière Susan et la prit par les épaules alors qu'elle la poussait vers la porte de ce qui était autrefois le bureau de Robert. Susan posa momentanément sa main sur la porte fermée, luttant contre l'envie de se mettre à genoux avant de finalement l'ouvrir et d'entrer.

Les changements survenus dans le vaste bureau étaient surprenants, et Susan se tenait juste derrière la porte, peu sûre d'elle. Alan lui fit signe d'entrer plus loin dans la pièce et se leva de son bureau pour l'embrasser. "Comment s'est passée ta petite aventure ? Es-tu prêt à passer aux choses sérieuses ?" Son sourire était large et elle sentit la chaleur de bien plus que de ses bras alors qu'ils l'engloutissaient.

"J'ai hâte d'y être !" Susan couina alors qu'elle était écrasée dans l'étreinte.

"Bien, j'ai fait quelques projets pour cette semaine, mais tout d'abord, ton nouveau bureau et tu devras commencer les entretiens pour une nouvelle assistante," il s'arrêta de parler alors qu'elle haletait.

« Cassandra ne revient pas ? » demanda-t-elle confuse.

"Elle sera là pour vous aider à vous installer, mais il est préférable que vous ayez quelqu'un d'autre, surtout pour le voyage que vous devrez entreprendre," dit Alan d'un ton qui sonnait comme si ce n'était pas une décision négociable et Susan. se mordilla la lèvre une fois de plus en hochant légèrement la tête. Alan devint soudain sérieux. "Andrew et moi en avons discuté, et nous ne voulons plus de liaisons dangereuses comme celles de la maison sur la plage. Cassandra est ton amie et elle t'aime, ces choses ne font pas nécessairement une relation amoureuse." bon assistant. Compris ?

"Oui, Maître," dit-elle doucement. Elle était triste de penser que les conséquences de ses propres actions étaient à l'origine de tout cela, mais peut-être que tout n'était pas perdu alors qu'une idée se formait dans son cerveau.

"Bien," il lui adressa un de ses sourires enfantins, "Maintenant, j'ai établi un projet de programme pour cette semaine, ce sera un programme difficile mais nous avons beaucoup à faire dans un court laps de temps avant que vous ne partiez. une autre aventure", lui lança-t-il un regard taquin. "Si des changements doivent être apportés, c'est à Anne qu'il faut s'adresser ou à Patrick en son absence.

La confusion se lisait sur son visage alors qu'elle parcourait son cerveau et retrouvait Patrick et Rhys lors de son dernier voyage dans l'entreprise. Elle sourit alors qu'il lui tendait le projet d'horaire et plusieurs autres petits dossiers.

" Ceci est une courte liste pour vos assistants personnels, ceci est une liste de décorateurs possibles pour votre nouveau bureau, ceci, " il montra un dossier bleu royal, " est votre plan d'affaires avec une quantité assez considérable de notes de révision et de suggestions. Lisez-le attentivement aujourd'hui, nous nous rencontrerons et commencerons à l'arranger demain." Il était si vif et si professionnel. Contrairement à l'Alan facile à vivre qu'elle avait toujours connu. Elle devinait que remplacer Robert ici était une tâche difficile pour lui, ou peut-être était-ce parce qu'elle n'avait jamais vraiment eu à traiter avec lui dans le sens commercial ; il avait toujours été si détendu et jovial avec Robert quand elle était là.

L'enveloppant à nouveau dans ses grands bras, sa voix s'adoucit un peu, "Anne t'aidera pour le reste, je suis sûr que tu te souviens suffisamment de ton travail avec Robert pour t'orienter dans les étages exécutifs. C'est bon de te revoir, où Je peux te voir plus souvent, petite ; tu m'as manqué.

"Et tu m'as manqué," elle lui rendit son étreinte de tout cœur. "C'est aussi bien que je sois arrivée plus tôt, il semble que vous serez une tâche difficile, Maître," dit-elle en riant à moitié pour le taquiner. "Je suppose que je devrais aller chercher mon bureau alors," dit-elle joyeusement, voulant juste commencer maintenant et pensant à tout ce qu'elle avait à faire.

Alan la regarda partir. Il s'inquiétait de la façon dont elle gérerait son nouveau poste dans l'entreprise. Robert l'avait choisie pour sa soumission naturelle, et il n'y avait pas de place pour cela dans le monde des affaires, elle devrait éventuellement prendre des décisions difficiles et négocier seule. Il se demandait si elle réalisait que son entraînement ici serait tout aussi difficile et épuisant que celui de ses autres aventures.

Il se tourna vers Andrew : « Comment va-t-elle vraiment ?

"J'ai toujours l'impression de sous-estimer cette petite fille," Andrew haussa les épaules. "Elle est assez dure à sa manière. Est-ce que je pense qu'elle en a fini avec Robert et tout ce qui s'est passé ? Pas de loin, mais si je devais parier sur la réussite ou non de son plan, je mettrais une grosse somme dessus." il."

"Espérons que tu as raison, mon ami," Alan regarda l'inquiétude de la porte qui se lisait sur son visage.

*****

Susan suivit Anne dans le couloir jusqu'à ce qui avait été le bureau d'Andrew où Patrick était assis en sirotant un café tôt le matin dans l'antichambre. Les repérant, il sauta de son siège et se précipita pour embrasser Susan.

"Susan ! Chérie !" elle sourit et lui rendit son étreinte. "Je sais que j'ai dit que je ne bougerais pas mais le Maître le voulait tellement et qui suis-je pour refuser," il roula des yeux. "Ce n'est pas encore fini mais viens voir, tout cet étage n'a été occupé que par des décorateurs d'intérieur et de beaux commerçants ces deux dernières semaines ! Je suis au paradis, chérie !"

Susan rigola et le laissa lui faire traverser l'antichambre et entrer dans le grand bureau dont la disposition était identique à celle qui était maintenant le bureau d'Alan. Rhys Muldoon l'accueillit derrière son bureau avec un sourire : "Bonjour Susan, as-tu passé une pause agréable ?"

"Oui, merci," elle n'était pas sûre du terme approprié, mais sachant qu'il était le maître de Patrick, elle opta pour le terme "Monsieur".

"J'ai hâte de travailler avec vous, je crois que nous avons une réunion demain," il jeta un coup d'œil à Patrick qui hocha la tête par l'affirmative. "J'ai lu votre plan, il a du mérite mais j'ai quelques questions que je voudrais vous poser. Ils peuvent attendre cependant car je vois Patrick commencer à faire la moue car j'ai déjà pris beaucoup de votre temps. Nous le ferons. nous voir pas mal pendant que vous êtes ici," Il lança à Patrick un regard sévère qui en disait long malgré ses paroles douces et polies à Susan. "Comme toujours, c'est un plaisir de te voir Anne," inclina-t-il la tête. "Susan aura tout le temps de faire des ooh et ah à cause de tout ton travail acharné, Patrick. Laisse-la partir et commencer sa journée, elle a beaucoup de choses à rattraper, n'est-ce pas," se tourna-t-il pour s'adresser à elle.

"C'est certainement le cas," acquiesça-t-elle, "J'adorerais revenir quand j'aurai plus de temps", sourit-elle à Rhys puis à Patrick. Elle a commencé à se rendre compte qu'elle se trouvait dans une situation précaire. Elle n'était plus une assistante, et elle ne faisait pas vraiment partie des cadres non plus, elle était une sorte d'indulgence, comme la cousine bizarre qui avait un travail dans l'entreprise familiale simplement parce qu'ils étaient de la famille. Elle détestait l'idée que l'un des vrais dirigeants la considère comme ne méritant pas sa place là-bas. Elle a décidé qu'elle devait se rendre au travail et prouver qu'elle méritait d'être là, avant de faire d'autres visites dans les bureaux d'autres personnes.

"J'aimerais vraiment voir mon propre bureau avant celui des autres", rit-elle légèrement. "Désolé de vous déranger Monsieur," dit Susan du même ton joyeux. Les trois quittèrent le bureau et retournèrent dans l'antichambre. "Je suis désolée si je t'ai causé des ennuis, Patrick," dit doucement Susan.

"Vous plaisantez ? C'était à peine un grognement sans enthousiasme", sourit Patrick. "En plus, il a raison, c'est parti, nous déjeunerons mercredi", dit-il d'un ton léger.

"Mon emploi du temps semblait plutôt chargé", a déclaré Susan, "je ne suis pas sûre..."

« À votre avis, qui a établi le programme ? Il fit un clin d'œil à Anne.

"Tu ne pensais pas que je rédigerais ce brouillon sans y ajouter un déjeuner ou deux avec moi, n'est-ce pas ?" Anne semblait consternée par cette idée et Susan rit.

"Honnêtement, à part vouloir retrouver mon bureau et m'asseoir pour regarder ce planning, je n'ai vraiment pensé à rien !" Elle roula des yeux, "C'est génial de vous voir tous les deux, vraiment j'ai plus que jamais besoin de mes amis, mais j'ai vraiment l'impression que je dois commencer, sinon c'est moi qui ai des ennuis."

"D'accord chérie, allons-y", dit Anne et Patrick lui souhaita bonne chance alors qu'ils sortaient et descendaient le couloir. Quelques tours plus tard, ils entrèrent dans un petit bureau qui semblait avoir été récemment rénové. Les murs nouvellement repeints étaient beige neutre, tout comme la moquette. Les seuls meubles étaient un bureau d'assistant et une chaise sur laquelle se trouvait un ordinateur, et dans le bureau principal le même agencement mais avec l'ajout d'une bibliothèque également peinte dans le même beige que les murs.

"C'est une table rase, chérie, de créer le tien, exactement comme tu le veux," désigna-t-elle l'espace pratiquement vide. "J'ai quelques idées si tu veux me rattraper plus tard, appelle-moi. Veux-tu que je reste quelques minutes ? Ou jusqu'à ce que Cassandra arrive ?"

"Non, je pense que j'ai juste besoin de quelques minutes pour tout comprendre," dit doucement Susan en faisant le tour du bureau pour s'asseoir sur la chaise. "Merci pour tout, Anne. Je suis tellement heureuse que tu sois là, je pense que je vais avoir besoin de mes amis au cours des deux prochaines semaines," sourit-elle de travers. "Tu ferais mieux de rentrer avant qu'Alan pense que j'ai volé son assistant, donc je n'ai pas à interviewer sa liste restreinte."

"Regarde-toi, tu es une femme d'affaires coriace," taquina Anne, "Je suis heureuse que tu sois enfin assez proche pour te contacter aussi, tu sais que je veux des détails de la semaine dernière , n'est-ce pas ?" » demanda-t-elle en riant, faisant rougir Susan.

"Oui, toi et tout le monde," rit Susan, "Qu'est-il arrivé à ne pas s'embrasser ni à le dire ? C'était génial, différent mais génial."

"Ça fera l'affaire pour l'instant," Anne fit un clin d'œil et se balança et sortit du bureau, laissant Susan à ses pensées.

Elle a regardé autour de lui et savait que le temps passé avec les architectes d'intérieur ne serait guère nécessaire, elle savait ce qu'elle voulait. Elle n'était pas sûre de ce que quelqu'un d'autre en penserait, mais pour elle, ce serait parfait. Ce dont elle avait besoin, c'était d'un chef de projet, ou au moins d'un responsable des achats, et elle se demandait si elle avait de l'argent dans son budget pour cela. En vérité, elle avait maintenant assez d'argent pour faire ce qu'elle voulait, mais sa vie ici dans l'entreprise ne serait jamais aussi facile alors qu'elle était surveillée par deux maîtres et luttait pour faire ses preuves.

Elle ne ferait pas de vagues aujourd'hui ; elle ferait ce qu'on lui demandait et interviewerait tous les arrivants. Elle parcourut son projet de planning, puis ramassa chaque élément sur son bureau et l'examina. Elle avait un nouvel ordinateur, un androïde qui était évidemment lié au serveur de l'entreprise et tout le matériel dont elle pourrait avoir besoin était soigneusement empilé sur le côté. Eh bien, pensa-t-elle, le moment était venu, elle ouvrit sa proposition commerciale et regarda une mer de marques et de commentaires bleus et rouges qui avaient été griffonnés sur son document soigneusement tapé.

Elle avait à peine parcouru la moitié de la première page quand Cassandra entra. "Ça ne prend pas beaucoup de place, n'est-ce pas ?" Dit-elle en regardant autour d'elle ; Susan poussa un cri de joie et se leva et serra la femme dans ses bras.

"Je suis vraiment désolé de t'avoir causé des ennuis, si j'avais su..."

"Tu aurais quand même manqué tous les soirs", rit Cassandra. "Ne t'inquiète pas, les ennuis sont ce qui rend la vie intéressante quand on arrive à mon âge."

"Bien parce que je pense que je pourrais en causer dans cet endroit étouffant, et j'ai besoin d'un bouclier," rit Susan avec elle.

"C'est tellement bon de vous revoir. Avons-nous le temps de discuter rapidement ?" Cassandra la serra à nouveau dans ses bras.

"Nous le ferons dans un instant, si vous pouvez commencer tout de suite et passer quelques appels pour moi, ce matin ?"

"Bien sûr, ma douce fille, je ne pensais pas que tu serais prête à quoi que ce soit pour moi si tôt," Cassandra fut un peu surprise.

"J'y pense depuis un bon moment maintenant, alors j'ai hâte de commencer," Susan sourit, son enthousiasme contagieux, "et je suis tellement heureuse que tu sois ici avec moi ; j'ai un nouveau titre de poste pour toi une fois. J'embauche un nouvel assistant, si vous voulez rester, au moins à temps."

Cassandra était un peu dépassée ; elle n'avait pas contesté la décision de la retirer de son poste d'assistante de Susan, en fait, elle avait initié cette conversation avec Alan. Elle s'était sentie moins encline à retourner travailler à temps plein, mais l'opportunité de travailler avec Susan de façon occasionnelle était quelque chose dont elle aimait l'idée, et Alan avait donc accepté d'assumer la responsabilité du changement, afin que Susan ne le fasse pas. Je n'avais pas l'impression qu'un de ses amis l'abandonnait. Elle n'avait pas trouvé la réaction de Susan aussi sincère.

"Qu'est-ce que tu veux que je fasse ?" » Demanda-t-elle, prise par l'enthousiasme de Susan.

"Voici la liste des architectes d'intérieur que je suis censé rencontrer, vérifiez-les pour moi, je recherche des lignes épurées, du métal et de la pierre, de la sculpture peut-être, s'ils sont tous encombrés de cosy ou de bois et de motifs floraux, alors annulez. Je sais quoi. Je veux; j'ai juste besoin de quelqu'un qui puisse l'obtenir pour moi", a déclaré Susan de manière décisive.

"D'accord, qui es-tu et qu'as-tu fait de ma douce petite Susan, indécise, peu sûre d'elle," rit Cassandra.

"Je veux cette Cassandra, pour moi. Je ne trouverai pas d'autre Robert ; je m'en rends compte", soupira-t-elle, "et je dois leur montrer... Je dois leur montrer que je suis sérieuse dans ce projet, que je suis plus qu'une simple soumise, Robert s'est laissé jouer au rôle de femme d'affaires." Elle sentit resurgir les larmes qu'elle n'avait pas versées depuis plus d'une semaine.

"Bien, alors montrons à ces salopards arrogants qu'ils n'ont aucune idée à qui ils ont affaire," elle prit la liste des mains de Susan, "Faites-moi savoir si vous avez besoin d'autre chose, Miss Biancotti," fit-elle un clin d'œil, faisant rire Susan.

Susan resta assise et se perdit à nouveau dans la proposition commerciale jusqu'à ce que le service de messagerie interne de son ordinateur bipe. Sa première personne interviewée pour le poste d'assistante était arrivée et était apparemment très belle. Susan sourit en répondant: "Eh bien, envoie-le!"

Susan se leva lorsque la porte s'ouvrit et Cassandra fit entrer un homme grand et musclé. Ce fut bientôt un modèle que Susan découvrit puisque toutes les demi-heures, un autre candidat qui ressemblait plus à un garde du corps qu'à un assistant franchissait sa porte. Cinq des six candidats étaient des hommes et au moment où le dernier est parti, Susan était plus que méfiante à propos de la liste restreinte qu'Alan lui avait donnée. Elle était également affamée, malgré le café et les friandises que Cassandra lui avait fournies pendant la longue matinée. Elle regarda le projet d'horaire puis sa montre ; Le déjeuner n'était pas prévu avant plus d'une heure, alors pour se distraire de son ventre qui grondait, elle appela Cassandra.

"Alors quel est votre verdict, était-ce la liste de l'AP ou des gardes du corps ?" Susan se rassit sur sa chaise.

"Les deux," ricana Cassandra, "Pas très subtils, n'est-ce pas ?" Susan secoua la tête. Cassandra la regarda astucieusement, "D'accord. Voici ce que j'ai découvert," elle aimait Susan comme une fille et était fière de la façon dont elle se comportait. Elle n'allait pas laisser Andrew et Alan la manipuler. "Les règles du club stipulent désormais qu'à moins d'être prouvé ou justifié par un membre du club, tout nouveau Dominant en herbe doit avoir un mentor parmi l'élite du club. Chacun de ces hommes et chacune de ces femmes a récemment postulé pour être pris en considération par l'élite du club. " Elle a laissé Susan prendre cette information.

"Maintenant, je crois que trois d'entre eux sont des entrepreneurs indépendants, des hommes à gages, des gardes du corps professionnels. L'un des autres vient d'un vieil argent et a un revenu indépendant provenant d'investissements ; l'autre est un détective privé et la femme était la seule à ne pas faire confiance à un " Vieille dame comme moi avec ses secrets. Aucun d'eux n'a vraiment besoin de ce travail, mais cela ne leur poserait aucun problème de l'entreprendre plutôt que de faire ce qu'ils font actuellement pour graisser les rouages du club. "

"Je vois que l'entrée au club, avec disons Andrew, le grand dragon des enfers comme mentor, est un prix qui vaut la peine d'être gardé", soupira Susan.

"J'ai découvert que l'un des hommes musclés suivait des cours du soir pour obtenir son diplôme de commerce", a ajouté Cassandra. "C'est incroyable ce qu'ils diront à la vieille dame qu'ils pensent être intérimaire ici."

Susan fit glisser le CV de l'étudiant en commerce à travers le bureau vers Cassandra. "Ils vont m'obliger à en choisir un, peu importe ce que je pense de leurs qualifications sur la liste restreinte et soyons réalistes, cette femme était tout simplement effrayante," frissonna-t-elle, "Appelle "Veuillez le ramener," elle tapota le dossier, "Voyez s'il est encore assez près du bâtiment pour revenir pour quelques questions supplémentaires." Elle fit à Cassandra un sourire méchant.

Quinze minutes plus tard, Susan s'assit à son bureau en face de Cassandra et de Mark Braithwaite. "Vous avez entendu parler de moi avant de postuler pour ce poste, M. Braithwaite ?" Elle fit une pause : « Mon accident en Italie, ses conséquences et comment je suis arrivée à mon nouveau poste au sein de cette entreprise ?

"Oui, et je suis vraiment désolé pour votre perte, M. Marino était un homme vraiment grand avec tout ce qu'il a accompli au cours de sa vie", ses paroles étaient sincères et cela se voyait dans son expression.

"Alors voici ce que je sais", commença Susan en racontant les détails du marché qu'Alan avait conclu avec les candidats et dont Cassandra l'avait informée, "Vrai ou faux ?"

"C'est vrai," Mark la regarda dans les yeux.

"Et vous verriez cela comme un travail de baby-sitting facile pendant que vous avez un mentor et une adhésion instantanée au MR. Club, vrai ou faux ?" Susan ne baissa pas les yeux.

"Ce n'est pas aussi facile de répondre avec un seul mot", commença Mark avant de faire une pause. Comme Susan ne parlait pas, il développa. "J'ai vu cela comme une opportunité à la fois professionnelle et personnelle. Oui, je deviendrais membre et j'aurais un mentor chez MR., mais j'aiderais également à construire une toute nouvelle proposition commerciale à partir de ce que je comprends, et cela en en soi, c'est une perspective passionnante. En ce qui concerne les tâches de baby-sitting, j'imagine qu'avec autant de personnes qui veillent à votre bien-être, vous n'avez guère besoin de moi pour le faire. Il regarda Cassandra d'un air significatif avant de se tourner vers Susan.

« Vous ont-ils dit qui vous encadrerait ? pour une raison quelconque, c'était important pour Susan.

"J'espère que comme vous travaillerez avec les grands ici, je n'aurai que la meilleure introduction au monde des grandes entreprises", a-t-il détourné sa question en gardant l'interview supplémentaire sur le lieu de travail.

"Et au Club ?" elle le pressa.

"J'ai demandé Gregory, mais il n'a pas accepté", a finalement admis Mark.

"Je pourrais peut-être t'aider avec ça ; il a été nommé mon observateur personnel, donc je suis sûre qu'il aimerait quelqu'un à l'intérieur, pour ainsi dire," Susan grimaça au ton de sa propre voix.

"Honnêtement, je pensais que ce serait un bon travail professionnellement, et même si faciliter mon accès au club est un énorme bonus, je préférerais tout aussi bien garder les deux séparés, s'il vous plaît", a-t-il déclaré avec frustration dans sa voix.

"Tu réalises que je vis dans le même bâtiment que le club, et que j'y suis vu à l'occasion, ce qui pourrait rendre les choses très inconfortables pour nous deux," Susan ne le laisserait pas partir si facilement. "Vous savez que je suis traité là-bas comme un soumis. Pourriez-vous travailler pour une femme que vous pourriez voir volontiers assise aux pieds de, par exemple, Sir Gregory ?"

" Dans ce cas, nous aurions bien sûr besoin de règles de base ; peut-être que Gregory pourrait nous aider car je serais le nouveau là-bas comme ici, " il la regarda sérieusement, " Je peux garder le travail et les loisirs séparément. " entités; je l'ai toujours fait, et dans mon métier, ce n'est pas toujours facile.

"Avez-vous au moins des compétences en bureautique ?" » demanda Susan avec plus de hésitation, trouvant qu'elle aimait sa franchise.

"Tu étais toi aussi dans les affaires il n'y a pas si longtemps, dis-moi," lui fit-il un sourire effronté en lui faisant savoir qu'il en savait plus sur elle qu'elle ne le pensait.

Brisant son caractère raide d'homme d'affaires, elle se tourna vers Cassandra et rigola, "Eh bien, il avait de bonnes réponses, n'est-ce pas ?"

"Je suppose que je pourrais le garder pendant qu'il s'installe, je préférerais vraiment travailler à temps partiel éventuellement", sourit Cassandra et Mark regarda les deux femmes alors qu'elles discutaient joyeusement comme s'il n'était pas là. "En plus, il est très beau, donc ce ne sera pas vraiment trop difficile."

Susan se tourna vers Mark et sourit. "Tu veux toujours le travail ?"

Ce fut au tour de Mark de rire. Il avait l'idée qu'il allait aimer travailler avec ces deux femmes. "Oui, quand veux-tu que je commence ?"

"Il y a environ trois heures en fait," Susan haussa les épaules. "Je suppose que c'est trop tôt maintenant ? Vous pourriez appeler les autres candidats et leur annoncer la bonne nouvelle pour moi."

"Bien sûr, pourquoi pas," lui sourit Mark. "Je n'avais pas prévu d'aller au-delà de cette interview d'aujourd'hui."

"Excellent", dit Susan. Cela s'était mieux passé qu'elle ne le pensait, et elle se retrouva à apprécier cet homme même si elle ne faisait pas entièrement confiance à ses motivations. Cependant, elle faisait confiance et aimait les gens qui essayaient de la protéger en manipulant ses choix. Elle n'était pas fâchée et elle était heureuse qu'au moins l'un des candidats s'intéresse réellement aux affaires et au projet dans lequel elle s'apprêtait à se lancer.

Quinze minutes plus tard, Susan entra dans le bureau extérieur où Cassandra et Mark étaient assis. "Je vais à ce déjeuner qui est prévu comme une gentille fille, marche avec moi Mark et je te présenterai quelques-uns des autres, et tu peux avoir tous les bons potins qu'ils ne me disent pas.

Mark se tenait à côté de Susan, réalisant à quel point elle était petite et petite. Assis derrière le bureau, il ne s'en était pas rendu compte, mais sa grande carrure et sa taille l'éclipsaient alors qu'il marchait à côté d'elle. Elle ne semblait pas préoccupée par la disparité et continua son chemin vers l'autre bout de l'étage exécutif. Anne leva les yeux en entrant, suivie du grand homme, la surprise se lisant sur son visage.

"Voici mon nouvel assistant, Mark", lui présenta Susan. "Voici ma bonne amie Anne", continua-t-elle. "Pourriez-vous tous les deux me donner une minute avec..." elle inspira, "Alan," elle avait supprimé le Maître de son nom pour la première fois, et ça ne semblait pas bien.

"Bien sûr chérie, entre," sourit Anne.

Susan entra avec autant de bravade qu'elle pouvait dans le bureau d'Alan. Elle fit un double regard en voyant Andrew toujours là et en réalisant qu'il était également là pour le déjeuner. Ils avaient levé les yeux lorsqu'elle était entrée et lui avaient fait signe de s'asseoir confortablement. Elle s'assit sur le bord du canapé et les regarda en secouant la tête.

"Qu'est-ce qui ne va pas?" » demanda Alan, son inquiétude touchant sa voix.

"Comment suis-je censé te faire entièrement confiance alors que tu ne me dis même pas ce qui se passe ?" » demanda-t-elle calmement. "Tu ne pensais pas que je ne remarquerais pas que le King Kong des gardes du corps était arrivé pour être ma secrétaire ? Et puis j'ai découvert que tu devais le soudoyer pour qu'il soit là," termina-t-elle tristement.

"Vous allez voyager. Nous avions besoin de savoir..." dit Alan d'un ton apaisant même si son humeur s'était envenimée derrière son extérieur calme.

"Je comprends vraiment. J'ai pris des décisions stupides et vous avez toutes les raisons de ne pas croire que j'en prends de meilleures ces derniers temps quand je suis seule, mais un avertissement aurait été bien", soupira-t-elle. "Maintenant J'ai juste l'air stupide aux yeux de ces gens, comment peuvent-ils faire ce que je demande alors qu'ils ne peuvent pas me respecter parce que le patron pense que j'ai besoin d'une baby-sitter. Aucun d'entre eux ne veut être secrétaire d'un petit soumis comme moi, ils sont tous du type alpha ; ils possèdent des petits sous-marins comme moi, et non l'inverse. "

"C'est comme ça," dit Alan, montrant légèrement son impatience, "Choisissez-en un, je ne vous laisserai pas vous promener seul dans la campagne pour traiter avec des gens de l'industrie du fétichisme."

"Comme je l'ai dit, je comprends pourquoi vous avez fait cela, Maître, et je vous aime pour cela. Si je choisis un de ces gorilles, puis-je garder Cassandra à temps partiel en tant que chef de projet ? J'ai une idée pour conserver des échantillons dans mon bureau et eh bien, avec la rénovation, elle pourrait aider la personne que je choisis avec les petits contretemps qui surviennent en cours de route, elle a tellement d'expérience dans tout ce qui concerne... euh dans l'entreprise.

"À temps partiel, pas de déplacement", a négocié Alan.

"Oui Maître," Susan lui fit un sourire éblouissant. "Merci Maître," elle se leva, "Un instant, s'il vous plaît, Maître."

Andrew n'avait rien dit alors qu'il regardait Susan manœuvrer pour suivre son propre chemin. Il ne fut pas du tout surpris lorsqu'un homme de grande taille la suivit dans le bureau d'Alan et elle le présenta comme son nouvel assistant. Andrew se leva pour lui serrer la main et se présenter avant de se placer à côté de Susan, lui murmurant bas à l'oreille : " Encore une cascade comme celle-là et si Alan ne le fait pas, je te donnerai une fessée. "

Susan rougit alors qu'Alan lui tournait son visage affable et souriant après avoir salué Mark et le transforma en un froncement de sourcils. En vérifiant sa montre, elle prit une profonde inspiration et ouvrit la bouche pour parler, mais Alan leva la main et grogna de façon menaçante : " Fais très attention à ce que tu dis ensuite, petit. "

"Je sais ce qu'on lui a promis au club et je veux être sûr que certaines règles ont été mises en place pour éviter toute euh... situations inconfortables..." Susan se précipita malgré tout et rougit profondément.

"Quel genre de règles ? Vous êtes rarement là sauf pour manger de temps en temps," demanda curieusement Andrew, évitant à Alan la peine d'avaler l'explosion qui semblait sur le point de déborder.

"Même alors," elle toucha la chaîne autour de son cou, il y a une hiérarchie, je suis ce que je suis là, et j'ai besoin d'être un peu différente ici, maintenant, dans mon propre bureau, avec lui, " dit-elle avec incertitude tout le temps. bravade à laquelle elle s'était accrochée ce matin ayant disparu sous le regard des deux Maîtres qu'elle respectait et devait lui obéir.

Mais c'est Mark qui prit la parole, la voyant flétrir sous leur surveillance : « J'avais pensé que si Gregory acceptait de me guider, il serait peut-être le mieux placé pour suggérer quelques règles concernant le temps passé là-bas. Je suis assez sérieux quant au maintien de mon professionnalisme et des côtés personnels assez éloignés les uns des autres. »

"Cela semble raisonnable", Alan, bien que toujours mécontent de son approche, pouvait maintenant voir dans quelle position inconfortable lui et Andrew avaient mis Susan. Les personnes de l'entreprise, qui vivaient ce style de vie particulier, avaient pour la plupart des emplois qui correspondaient à leurs postes. partie, et il a pu voir que cela peut créer des tensions dans la relation de travail. Il savait également que les récentes menaces de copie contre le club et la société n'étaient pas spécifiquement dirigées contre Susan, mais il ne pouvait toujours pas risquer que quelque chose d'autre lui arrive. L'homme qui lui avait fait confiance, s'était lié d'amitié avec lui et lui avait donné pratiquement tout ce qu'il possédait maintenant, lui avait confié son bien le plus précieux, Susan. Il ressentait désormais un lien fort avec elle, et il allait s'assurer qu'elle réussisse en affaires, peu importe où son parcours actuel dans son style de vie la mènerait.

"Viens au club vers six heures, tu pourras nous rejoindre pour le dîner et nous pourrons en discuter," dit Andrew, son esprit travaillant sur ce qui avait été dit. À vrai dire, après avoir perdu d'abord Kitty puis Robert, il ne se souciait pas de savoir à quel point cela devenait gênant ou inconfortable pour elle ; elle resterait en sécurité pendant qu'il serait son tuteur.

En regardant les deux hommes qui n'avaient pas l'air heureux avec elle à ce moment, Susan aspirait à nouveau à la liberté qu'elle avait ressentie avec Sire, en dehors de cette cage que Robert lui avait construite avec sa mort. Elle se mordit la lèvre en les regardant en pensant à sa liberté et croyant qu'elle avait autre chose à dire. Alan se rassit.

"Je peux voir qu'il y a plus à négocier," il regarda Mark puis de nouveau vers elle.

"En fait, c'est plutôt une question," fit-elle une pause, "je rencontre des architectes d'intérieur après le déjeuner, selon mon emploi du temps."

"Oui," dit Alan en haussant lentement un sourcil.

"Eh bien, avec quel genre de budget dois-je jouer ?" elle lui fit un petit sourire et, essayant de détendre l'ambiance, dit : "Tu vois, j'ai un œil sur ce bureau incrusté de diamants..."

"S'il n'y avait pas eu la gêne de voir Mark te voir puni pour être un gosse, tu serais à genoux en ce moment," grogna Alan, son humeur mijotant sous son extérieur calme.

"Oh, ne vous inquiétez pas," Mark leva les mains, "Si vous pensez qu'elle le mérite, qui suis-je pour discuter. Si c'était quelqu'un d'autre que vous deux, estimés messieurs, cependant, je penserais qu'il était de mon devoir de le faire. intervenir, jusqu'à ce que ses tuteurs en soient informés bien sûr."

"Bon homme," rit Andrew, brisant la tension. Il se leva et alla chercher Susan et s'assit avec elle sur ses genoux de manière protectrice.

Il l'embrassa sur le front. "Je ne pense pas qu'un bureau incrusté de diamants soit tout à fait votre style."

"Oh, je ne sais pas, je pourrais au moins l'essayer pendant une semaine ou deux," lui sourit-elle.

"Je pense que ton temps avec Sire a fait de toi un gamin," rit-il, "Tu te souviens de l'accord que nous avons conclu avec Gregory avant ton départ. Il fera plus que te menacer, il te disciplinera si nécessaire et en à en juger par le visage d'Alan, vous patinez peut-être sur une glace mince. »

"Oui, Maître Andrew," dit-elle doucement après s'être rappelée d'accepter la discipline de Gregory si l'un des Maîtres trouvait son comportement inacceptable.

On frappa doucement à la porte, et Anne entra et attendit qu'on lui réponde. Alan hocha la tête et elle parla doucement : "Rhys, David et Jeremy sont tous là, Maître."

"Merci, Anne. Emmène Mark avec toi à tout ce que tu as prévu avec les autres assistants," dit Alan en regardant le jeune homme qui se levait facilement et quittait la pièce. Il avait la confiance tranquille d'un homme qui était à l'aise et sûr de lui dans n'importe quelle situation, pour Alan cela en disait long et le fait qu'il semblait véritablement intéressé par l'aspect commercial des choses l'impressionnait encore plus.

Alan avait pratiquement mémorisé les biographies des candidats retenus sur les listes restreintes. Il était impressionné que Susan ait choisi Mark. Comme lui, Mark venait d'un milieu mieux adapté aux bagarres qu'aux affaires, mais il avait travaillé dur pour s'en sortir. Une fois que ce type aurait atteint son rythme, pensa Alan, rien ne pourrait l'arrêter et après l'avoir rencontré face à face, il a envisagé de lui proposer de le guider lui-même.

*****

Le déjeuner s'était écoulé à toute vitesse alors que Susan rencontrait les autres cadres supérieurs et exposait avec passion les prémisses de base de son plan d'affaires. Elle a reconnu qu'il y avait beaucoup de travail à faire et qu'il y avait un long chemin entre avoir une idée et la concrétiser, mais elle a parlé avec conviction et assurance absolue qu'elle croyait que c'était non seulement possible mais que ce serait rentable.

L'après-midi s'était écoulé tout aussi rapidement alors qu'elle discutait de ses projets pour l'intérieur du bureau et de l'antichambre où se trouvait le bureau de Mark, avec les designers et ses deux assistants. Son enthousiasme bouillonnant, encore débordant de la conversation qu'elle avait eue à l'heure du déjeuner avec les dirigeants, était contagieux à tous ceux qui entraient dans les bureaux. Elle avait mis en favoris le bureau exact qu'elle souhaitait sur le site de meubles Jova, et bien qu'il ne soit pas disponible, l'architecte d'intérieur gagnant savait où se procurer une pièce similaire conçue sur mesure pour eux.

Une artiste a été contactée et tout semblait se mettre en place. À la fin de sa première journée de retour dans l'entreprise, elle était heureuse. Heureuse d'être là, heureuse des décisions qu'elle avait prises, heureuse même de laisser son esprit dériver vers Robert et ce qu'il pourrait penser de tout ce qu'elle faisait. Elle sourit lorsque Mark entra, "Quelle journée."

"Ce n'est pas encore fini, et si tout va bien, j'aimerais partir maintenant pour avoir suffisamment de temps pour rentrer chez moi et me changer avant de rencontrer Andrew pour le dîner ce soir ?" Mark tira sur sa veste.

"Mon Dieu, regarde l'heure; je suis vraiment désolée, tu aurais pu partir il y a longtemps, j'ai été absorbée par les plans et les détails," lui murmura-t-elle ses excuses et il attrapa sa main en la serrant fortement dans la sienne.

"Hé, ça va ! Tu es le patron, souviens-toi, et je suis aussi enthousiaste que toi de voir tout cela se produire à partir de zéro", a-t-il déclaré. "Je suis juste content d'être ici, alors je te retrouverai au club pour le dîner et ne t'inquiète pas, nous trouverons une solution." Il partit, la laissant à ses pensées. Elle baissa les yeux sur son propre costume et se demanda si elle devait aussi se changer pour le dîner. Elle se sentit soudain gênée par le fait que Mark la voyait dans certains des articles les plus révélateurs de sa garde-robe, mais elle savait qu'elle devrait se changer et se rafraîchir.

Elle appela le numéro qui lui avait été donné pour Lincoln qui accepta de la rencontrer devant le bâtiment, et elle attrapa sa mallette pour y mettre les fichiers sur lesquels elle avait travaillé et y ajouta son androïde. Elle sortit en fermant les portes du bureau, non pas qu'il y ait encore de quoi s'inquiéter, mais finalement elle avait son propre espace et le planifier cet après-midi lui avait donné un sentiment de propriété. Elle attendait l'ascenseur, pensant toujours à ses projets. Elle se sentait plus sûre de qui elle était et de ce qu'elle faisait qu'elle ne l'avait jamais été dans sa vie. Il ne lui est jamais venu à l'esprit que c'était parce qu'elle prenait enfin des décisions pour elle-même que cela était vrai, d'autant plus qu'il y avait tellement de gens autour d'elle qui influençaient les décisions qu'elle prenait.

"Oh, bien, tu n'es pas encore parti," interrompit Anne dans ses pensées en apparaissant dans le petit espace où Susan attendait. "Maître, j'aimerais vous voir avant de partir." Anne semblait agitée et, saisissant sa main, elle courut presque vers son bureau et fit savoir à Alan que Susan était là et attendait de le voir.

"Entrez, dit-elle doucement," ne rencontrant pas vraiment les yeux de Susan, ce qui la fit s'inquiéter et commença à se mâcher la lèvre alors qu'elle ouvrait la porte et entrait dans le bureau d'Alan. Il se tenait adossé au bord de son bureau, les bras croisés.

"Là", il montra un endroit sur le tapis à environ deux mètres de lui, "À genoux." Sa voix n'était pas dure mais elle était mortellement sérieuse.

"Aujourd'hui, ça m'a prouvé deux choses, petite", commença Alan alors qu'elle s'agenouillait devant lui. "La première est que vous êtes une jeune femme intelligente et compétente, et tout aussi dure que

Robert l'a toujours dit." Il s'arrêta brièvement et la regarda se mâcher la lèvre avec une expression inquiète. "La seconde est que vous avez été trop indulgents pendant trop longtemps. Robert a été mon idole d'une certaine manière pendant de nombreuses années. Nous avions nos différences, c'est vrai, mais j'ai toujours respecté sa passion et son sens aigu de ce que c'était de être le meilleur et exiger le meilleur de tous ses proches. »

Il fit un pas vers elle : « Que penses-tu qu'il aurait pensé de ton subterfuge aujourd'hui ? Je n'ai jamais dit que Cassandra ne resterait pas à temps partiel. En fait, c'est exactement ce que j'ai dit ce matin ; qu'elle resterait pour vous aider, mais pas en tant qu'assistante personnelle à plein temps." Sa voix était devenue bourrue, montrant sa colère et sa déception. Il était satisfait du rougissement qui montait sur ses joues et de l'expression de déception sur son visage.

"Et pourtant tu es quand même venu ici et tu as essayé de faire ce que tu veux en étant mignon et gentil, alors que ce n'était rien de plus qu'un subterfuge conçu pour faire ce que tu veux," il la regarda fixement. "La Susan que je connais et plus important encore, la fille que Robert aimait et a commencé à entraîner n'aurait jamais été une telle gamine. Vous demandez ce que vous voulez, je vous dirai si vous pouvez l'avoir." Sa voix s'était élevée avec colère, "Je ne négocierai pas avec vous, et je ne supporterai pas non plus un autre coup dur comme aujourd'hui. Dois-je être clair ?"

"Oui Maître," dit Susan, les yeux écarquillés devant ce côté différent d'Alan. "Je suis vraiment désolé, Maître, vous avez raison." Elle n'a pas pris la peine d'essayer d'expliquer son comportement, elle savait qu'il avait raison et Robert n'aurait pas aimé la façon dont elle s'y prenait pour obtenir ce qu'elle voulait.

"Je suis le directeur général ici ; même Rhys me fait la courtoisie de gérer ses projets par moi, et je lui fais confiance pour gérer son département de manière autonome," laissa-t-il échapper un long souffle sifflant. "Votre plan a du mérite et j'aimerais vous aider à le réaliser, mais sachez que si vous franchissez la ligne une fois de plus et oubliez qui je suis ici, il peut et sera enlevé." Il secoua la tête avec déception. "Je connaissais Robert et ce qu'il voulait pour toi, c'est-à-dire ne pas être une petite salope branlante, utiliser sa soumission ou sa beauté comme une arme pour arriver à ses fins et tu aideras quelqu'un que je choisis de faire." prenez le relais. Vous êtes une jeune femme belle et forte. Votre soumission est un cadeau et non une monnaie d'échange à utiliser comme un moyen pour parvenir à une fin. Si vous voulez de l'indulgence, allez voir Andrew, il semble apprécier votre nouvelle bratterie, mais la fille que je connais et que j'aime, la fille qui a conquis le cœur de Robert et qui a changé tous nos mondes ici, n'agirait jamais comme ça."

Alan avait presque cédé à ses réprimandes alors que les larmes coulaient lentement sur son visage. "Rappelez-vous qui vous êtes vraiment et qui êtes censé être," dit-il d'un ton plus doux. Il se dirigea vers elle , se pencha et la releva devant lui. Il passa une main autour de la chaîne qui encerclait son cou : "Tu n'es pas n'importe quelle fille ordinaire. Tu es spéciale et importante pour beaucoup de gens. Tu n'es pas qu'une stagiaire ici ; tu es une associée et une dirigeante à part entière." " C'est vrai. Vous devez trouver un équilibre et être à la hauteur des attentes de Robert, car grâce à nous tous, il connaissait le mieux votre véritable potentiel et vous a donné cette opportunité de briller. "

Il l'enveloppa dans ses bras. "J'ai demandé à Andrew de renoncer à ta formation dans le secteur, et même si j'ai des inquiétudes, je vais renoncer à ton besoin d'explorer ce style de vie et ses différentes facettes. Je sais qui tu es," il l'éloigna de son corps. et la regarda dans les yeux, "et ce n'est pas un des petits morveux de James ou Sire. Alors laissons ça derrière nous." Il l'embrassa sur le front. "Si vous voulez quelque chose, venez me voir avec une proposition bien réfléchie. Montrez -moi les conceptions et les coûts de cet intérieur de bureau que vous envisagez et j'approuverai le budget, mais je ne vous donnerai pas seulement un budget illimité, pour jouer avec, comme vous le dites si éloquemment. »

"Oui Maître," dit Susan d'une voix instable.

"Bien," Alan la regarda, "Je ne veux pas te mettre en retard pour le dîner que tu as prévu pour ce soir alors tu peux y aller, mais..." il laissa un petit sourire traverser son visage pendant qu'il livrait. sa propre tournure, espérait-il, surprenante, comme elle l'avait fait plus tôt. "... conformément à votre accord de formation avec les Maîtres qui s'occupent de vous, Gregory vous disciplinera aujourd'hui pour votre comportement inapproprié." Susan haleta en le regardant dans les yeux pour voir s'il plaisantait, mais il n'y avait aucun mensonge dans ses yeux.

"Il a été informé, et comme Robert était son ami et mentor," le sourire d'Alan s'élargit et il commença à l'accompagner vers la porte de son bureau, "Lui aussi a été très déçu de votre comportement."

"Oh non," Susan baissa la tête et sentit un frisson d'attente lui parcourir le dos.

"Je te verrai demain matin, petite. Je veux que tu me recontactes tous les jours quand tu pars à partir de maintenant," dit Alan alors qu'elle entrait dans l'antichambre. "Entrez Anne s'il vous plaît." » dit Alan, et Anne se leva d'un bond et ferma la porte derrière elle, laissant Susan avec seulement ses propres pensées alors qu'elle marchait lentement vers les ascenseurs. Alan n'avait pas l'intention de donner à Susan une épaule sur laquelle pleurer, il avait besoin qu'elle réfléchisse à ce qu'il venait de dire.

"A quoi avait-elle pensé ?" se réprimanda-t-elle. Alan était le directeur général, le patron, bien sûr, elle devait faire les choses à sa manière ; elle avait été une gamine, et maintenant Gregory le savait. Gregory, avec toute sa chevalerie et son sens de la justice, elle les avait déçus tous les deux et, pire que tout, maintenant c'était clair, elle était déçue d'elle-même. Elle a admis que tout ce qu'Alan avait dit était vrai. Robert ne l'aurait jamais laissée être une gamine de quelque manière que ce soit. Elle cligna rapidement des yeux, refoulant les larmes de ses yeux alors qu'elle traversait le hall et se dirigeait vers la voiture qui l'attendait.

Lincoln sourit en lui ouvrant la porte et en murmurant : « Tout va bien, Miss Biancotti ?

"" S'il vous plaît, appelez-moi Susan, je... je vais bien, "elle fit un demi-sourire et disparut dans la voiture.

*****

Inaperçu, un homme de grande taille avait regardé Susan sortir du bâtiment. Il remarqua l'expression de détresse sur son visage, comme si elle avait pleuré. Il est monté sur sa moto, s'est engagé dans la circulation en suivant la voiture noire qui la retenait, après les avoir vus disparaître dans le parking situé en dessous du club, il s'est enfui en trombe. Il suffisait qu'il sache qu'elle était de retour et qu'il sache où la trouver. Pour l'instant...

*****

Susan s'agenouilla sur un coussin dans la tanière des managers et ses yeux rivés sur le sol. Elle aurait dû en discuter, aller voir Alan avec un plan, se rendre compte qu'il y avait plus en lui que l'homme maladroit et malin qui avait flirté avec sa mère une fois. Il était le PDG de l'une des entreprises les plus riches du pays et elle l'avait traité avec manque de respect, pensant qu'elle était si intelligente avec ce coup qu'elle avait mis en place pour garder Cassandra à proximité. Son esprit oscillait entre la joie que Cassandra reste et la tristesse de la façon dont Alan, son ami et tuteur, l'avait regardée avec une telle déception.

Gregory était assis sur une chaise juste en face de Susan, profitant du moment. Depuis les liaisons dangereuses, elle l'avait encouragé tandis que, à la maison de plage, il s'inquiétait que les autres Maîtres se livrent à ses caprices à outrance. Il avait été heureux quand elle avait fait preuve d'une certaine responsabilité dans sa propre vie jusqu'à ce qu'elle en trouve un autre qui chérirait sa soumission et était encore plus heureux qu'il soit celui qui assurerait sa sécurité. Son retour avec ce type d'attitude n'était cependant pas attendu, et il avait l'intention de s'assurer qu'elle sache que c'était très indésirable.

Contrairement aux autres amis de Robert, il n'avait aucun sentiment résiduel d'indulgence envers son chagrin. Elle leur avait présenté son projet d'aller de l'avant, et elle s'était montrée prête à le faire. Il n'avait aucun doute que Robert et les leçons qu'il lui avait enseignées resteraient avec elle pour toujours, mais si elle voulait un jour retrouver sa place, il était temps de passer à autre chose et d'explorer les possibilités qui l'entouraient. Il gardait un air déçu sur son visage alors qu'il s'adressait à elle.

"Quelle est la prochaine étape ? Allez-vous commencer à avoir des crises de colère si les Maîtres ne vous donnent pas votre propre chemin ?" » dit-il d'une voix dure. « Se jeter par terre et donner un coup de pied ? »

"Non, Sir Gregory," dit-elle doucement, risquant de lui jeter un coup d'œil pour montrer la sincérité qu'elle espérait briller dans ses yeux. « C'est juste que... » elle s'empêcha de trouver des excuses.

"Tu fais juste quoi ?" Grégory grogna. " Vous avez décidé de faire tomber Cassandra dans la tombe prématurément ? Vous avez décidé d'ignorer le fait qu'Alan avait dit qu'elle serait là pour vous aider, mais que vous aviez besoin d'un autre assistant personnel à cause de tous les voyages ? Vous est-il seulement venu à l'esprit que ce n'était pas à propos de vous, mais plutôt quelque chose que Cassandra a demandé ? » Gregory savait que Cassandra ne voulait pas voyager et détestait les avions ; il savait qu'Alan lui avait demandé de rester pour rendre service à Susan. Il était en colère que la fille à ses pieds n'ait même pas réfléchi à ces choses mais ait plutôt manipulé les gens qui tenaient à elle pour obtenir ce qu'elle voulait.

"Cassandra ne te refuserait jamais ce que tu as demandé à ce moment-là," dit-il à son expression surprise et confuse. "Tu es gâté par ceux-là mêmes qui t'aiment et ça, petit, a fait de toi un gosse égoïste et égocentrique," il secoua la tête.

"Je ne l'ai tout simplement pas fait... je veux dire..." elle déglutit en retenant ses larmes, "Je suis vraiment désolée, Sir Gregory. Vous avez raison. J'ai agi de manière épouvantable envers les gens qui tiennent à moi." Elle se sentait terriblement désolée que Cassandra n'ait pas senti qu'elle pouvait lui dire directement ce qu'elle ressentait et qu'elle ne l'ait pas entendue lorsqu'elle avait dit à plusieurs reprises qu'elle était beaucoup plus heureuse de travailler à temps partiel. La bonne journée s'est transformée en pire et maintenant elle se sentait simplement coupable.

Gregory n'en dit pas davantage ; il se pencha et la souleva en la plaçant sur ses genoux. Susan n'a pas résisté ; elle baissa la tête sur ses jambes et accepta la fessée qu'elle était sur le point de recevoir. Gregory prit son temps pour apprécier la peau douce du cul parfaitement arrondi qui se présentait alors qu'il soulevait sa jupe. Sa main descendit d'un coup lourd, et le son de sa paume frappant la chair résonna musicalement dans la pièce.

Se perdant dans les sons agréables de sa main frappant sa chair et de ses halètements, gémissements et cris haletants, il lui donna une fessée jusqu'à ce qu'ils perdent tous les deux le compte, et sa bite durcie ne pouvait plus être rebutée par la pure volonté. Il caressa la chair rouge et gonflée, sentant la chaleur s'en émaner avant de glisser une main entre ses jambes, sentant l'humidité et écoutant ses gémissements de besoin.

Susan se tortilla, la chaleur de la fessée avait voyagé en elle et avait depuis longtemps dépassé le stade de la douleur pour devenir une chaleur intérieure, alimentant son besoin d'être traitée comme ça. Elle roula des hanches pendant qu'il caressait son cul brûlant et gémit de plaisir alors que sa main fouillait entre ses jambes. Elle élargit volontiers ses cuisses à ses douces caresses et sa respiration s'accéléra à nouveau.

Sentant soudain lui-même la punition, il la souleva de nouveau, la portant dans un coin de la pièce et la plaçant face à la jonction de deux murs. "Face au mur, ne fais pas d'autre bruit ou je te bâillonnerai. C'est une punition, petit morveux, et ce n'est pas le moment d'assouvir ton besoin." Il grogna et la laissa agenouillée pendant qu'il retournait à son bureau.

Susan aurait pu pleurer à nouveau et le supplier de l'utiliser, tant son besoin était grand à ce moment-là, mais elle n'émit aucun bruit en clignant des yeux larmoyants. Elle resta longtemps agenouillée alors que les gens entraient et sortaient du bureau, certaines voix qu'elle connaissait, d'autres qu'elle ne connaissait pas. Son humiliation était en conflit avec le fait qu'elle savait qu'elle méritait d'être punie.

Au moment où elle sentit enfin les mains de Gregorys la redresser, ses genoux étaient plus que douloureux et ses cuisses presque engourdies par la tension de rester dans cette position plutôt que de s'asseoir sur ses talons. Elle ne se plaignit pas alors qu'il lui nettoyait le visage et marchait très prudemment à ses côtés alors qu'il la guidait hors de son bureau vers la salle à manger et une table peuplée de personnes qu'elle considérait comme des amis.

"Je suis vraiment désolée si je t'ai retenu", dit doucement Susan en regardant autour de la table. Andrew et Barry la regardèrent avec des sourires ajoutant qu'ils n'étaient pas pressés, la cuisine était toujours ouverte tard. Mark, en revanche, avait l'air perplexe face à la différence entre la jeune femme dynamique qu'il avait laissée au travail ce soir et la jeune femme sage et tranquille qui rejoignait sa table pour le dîner.

Grégory les rejoignit et deux jolies serveuses leur apportèrent leurs entrées directement de la cuisine. Barry semblait regarder Susan alors qu'elle goûtait les petits paquets emballés et vit l' émerveillement traverser son visage en lui faisant un sourire. Elle leva les yeux vers lui et il lui fit un clin d'œil, la faisant rire doucement et se souvenir de la nuit où il lui avait rendu visite à la taverne de kava.

"Ils sont incroyables; je n'arrive pas à croire qu'Anna t'a donné la recette," marmonna Susan avec une bouchée, toujours incertaine sur la façon de s'adresser à Barry. Il ne semblait pas aussi raide et formel que

Sir Steven et pourtant elle ne le considérait pas comme un Maître, soit elle se demandait combien de temps elle pourrait rester sans lui adresser son nom avant que quelqu'un ne le remarque.

Pendant que le repas avançait, Susan a partagé certaines de ses histoires de visite de merveilles naturelles isolées et espérait qu'elle pourrait voir certaines des photos que Sire y avait prises. Gregory et Mark ont découvert qu'ils avaient un intérêt commun pour l'histoire médiévale et ont discuté de certains événements du calendrier local, comme le festival de l'église abbatiale. Barry partit s'occuper d'une petite crise dans la cuisine et Andrew tendit la main pour prendre la main de Susan.

"Tu as l'air fatigué, petite," lui sourit-elle, son affection étant claire dans sa voix et son toucher.

"Ça a été un grand jour ; j'ai beaucoup à apprendre et beaucoup à faire," elle lui rendit son sourire, "et de grandes excuses à présenter demain." Elle réalisa que Gregory et Mark avaient arrêté de parler et se tournèrent vers elle. "Je dois faire une grande partie de ce travail ce soir avant mon rendez-vous de demain, donc si cela ne vous dérange pas messieurs, est-ce que je pourrais monter à l'étage maintenant ?"

"Bien sûr," dit Andrew.

Susan hésita, "Je euh... je me demandais si quelqu'un pouvait m'accompagner jusqu'aux ascenseurs." Elle déglutit. "Je me sens juste un peu vulnérable en marchant seule dans cet endroit, malgré cela." Elle toucha la lourde chaîne en or autour de son cou. Depuis qu'elle habitait dans l'immeuble, elle détenait les clés des ascenseurs mais elle se sentait toujours mal à l'aise de se promener seule le soir. Elle s'était arrêtée à la réception en descendant ce soir et avait appelé pour que Gregory la rejoigne aux ascenseurs.

"Je vais marcher avec toi", proposa Mark, "Ma nouvelle patronne est une femme, et je ferais mieux de me reposer avant qu'elle ne réalise que m'embaucher en raison de ma beauté de joli garçon n'était pas une si bonne idée." Il lui fit un clin d'œil et rit.

"Il y en a pas mal qui vont et viennent à cette heure de la nuit," dit Gregory en comprenant, "Je vais vous emmener jusqu'à votre appartement."

"Viens prendre le petit déjeuner avec moi demain, petite," Andrew l'embrassa sur le front alors qu'il se levait également.

"Bien sûr, Maître," lui sourit-elle. Il était un point d'ancrage dans son monde en ce moment, et elle en avait besoin plus qu'elle ne l'avait imaginé et de manière impulsive et inhabituelle, elle le serra dans ses bras. "Merci pour tout", éclata-t-elle et se retourna en s'éloignant avec Gregory et Mark. Alors qu'ils traversaient le bar du salon, Gregory tendit la main et passa une main autour de sa nuque comme Robert avait l'habitude de le faire ici, à cet endroit. Incapable de s'en empêcher, elle tressaillit et frissonna comme si son fantôme avait été là, surprenant Gregory, qui la regarda avec inquiétude.

Mark descendit au rez-de-chaussée et leur fit ses adieux, tandis que Gregory et Susan montèrent en silence les étages supplémentaires jusqu'à son appartement. Sortir avec elle et lui ouvrir la porte, Gregory dit doucement : « Quelque chose n'allait pas quand nous sommes partis, est-ce quelque chose que quelqu'un a fait ?

"C'était juste... je veux dire, Robert toujours... ou il avait toujours l'habitude de passer sa main autour de ma nuque comme ça quand nous étions dans le club," dit-elle doucement. En ce qui concerne Gregory, l'honnêteté était la seule réponse à ses questions, il ne la laisserait pas faire passer cela pour un simple frisson.

"Tu t'y habitueras", acquiesça-t-il. "Dors bien petit, ne veille pas trop tard pour travailler."

"Oui, Sir Gregory," dit-elle surprise par sa réponse. Peut-être que lui et Alan avaient raison. Peut-être qu'elle était devenue gâtée. Elle s'était attendue à une sorte d'excuse plutôt qu'à une déclaration selon laquelle elle s'y habituerait.

Elle entra dans sa chambre et se déshabilla avant de s'installer sur son lit avec sa mallette pour relire la proposition commerciale modifiée, avant de s'endormir. Son esprit encore plein de la sensation des mains de Gregory sur elle, elle plongea sa main entre ses jambes.

# FIN

Milton Keynes UK
Ingram Content Group UK Ltd.
UKHW010019030424
440481UK00001B/47